Julius de Goede

Kalligraphie für Einsteiger

Schönschreiben lernen
Lehrbuch

AUGUSTUS VERLAG AUGSBURG

CIP-Titelaufnahme der Deutschen Bibliothek

Goede, Julius de:
Kalligraphie für Einsteiger : Schönschreiben lernen / Julius de Goede.
[Aus d. Holländ. übers. von Sebastian Holz]. –
Augsburg : Augustus-Verl.

Lehrbuch. – 1990
ISBN 3-8043-0141-X

Aus dem Holländischen übersetzt von Sebastian Holz

Umschlaggestaltung: Christa Manner, München
Lektorat: Michael Schönberger

AUGUSTUS VERLAG AUGSBURG 1995
© Weltbild Verlag GmbH, Augsburg
Satz: 10½/12 P. Trump Mediaeval von Utesch Satztechnik GmbH, Hamburg
Druck: Appl, Wemding
Printed in Germany

ISBN 3-8043-0141-X

Inhalt

Einleitung

Die Kalligraphie, die Kunst der Schönschrift, besitzt für viele Menschen eine magische Anziehungskraft. Es erscheint unglaublich schwierig, die Buchstaben in einer gleichmäßigen Linie aus der Feder fließen zu lassen. Das ganze abstrakte Bild der Buchstabenformen zu einem harmonischen Zusammenspiel von Linien und Farben zu sortieren scheint noch schwieriger zu sein.

Man sollte sich durch diese Schwierigkeiten nicht abschrecken lassen. Beinahe ein jeder schafft es, eine gute Kalligraphie herzustellen. Für die meisten Menschen ist dies eine Frage der Übung, die man durch regelmäßige Studien erlangt. Ein Gefühl für die graphische Gestaltung von Buchstaben, aber auch eine gewisse künstlerische Begabung können natürlich diesen Übungsprozeß unterstützen; in erster Linie allerdings kommt es auf den richtigen Gebrauch der Arbeitsmittel an.

In diesem Buch werden die wichtigsten Grundbegriffe der Kalligraphie erläutert, die beste Schreibweise einiger Basisschriften erklärt und die damit zusammenhängenden kalligraphischen Alphabete gezeigt.

Geschriebene Texte sind immer viel persönlicher als gedruckte

Man kann tagtäglich eine unendliche Vielfalt von Buchstaben und ihre Anwendung sehen. In Zeitungen und Zeitschriften, auf Autos und Gebäuden wie auch im Fernsehen begegnen wir unzähligen Beispielen von Buchstaben verschiedenster Art. Die Aussage eines Textes lesen wir meistens, ohne auf die Form der Buchstaben zu

Einleitung

ZUM
KLASSENTREFFEN
DES
ABITURJAHRGANGES
1970

des Gymnasiums Seefeld
möchten wir alle ehemaligen
Schüler und Lehrer
recht herzlich einladen.

31. März 1990 : 19.00 Uhr
im Gasthof zum Blauen Hecht
Spiegelstraße 22
Seefeld

*Kalligraphien können viel-
seitig verwendet werden*

achten. Meist hat ein solcher Text die Form von „Druckbuchsta-ben", oft scheinen die Buchstaben aber mit der Hand geschrieben zu sein. In letztgenanntem Fall wird ein Text für unser Auge auf-fälliger, und wir achten mehr auf die Formen der Buchstaben, vor allem, wenn sie sich durch ein besonderes Äußeres auszeichnen.

Die Entwicklung neuer Schriftarten ist schwierig. Trotzdem be-gegnen wir in allen Formen der Druckbuchstaben aus Zeitungen, Zeitschriften und Büchern einer großen Vielfalt und Variations-breite. Alle diese Buchstaben wurden in jedem Detail von einem Fachmann, einem Graphiker, dessen Spezialgebiet die Schrift dar-stellt, entworfen. Eine gute und deutliche Schrift muß einige

Grete und Hans
Herzlichen
Glückwunsch
zur Verlobung

Grundnormen erfüllen, um dadurch dem wichtigsten Zweck der Schrift, der Kommunikation, zu dienen. Die Kommunikation spielt eine sehr wichtige Rolle in der Formgebung von Büchern, Plakaten, Anzeigen und allen anderen Druckartikeln. Mit solchen Entwürfen ist meist eine ganze Gruppe von Graphikern, jeder ein Spezialist auf seinem besonderen Gebiet, beschäftigt.

Dies ist in der Kalligraphie völlig anders. Der Kalligraph ist sein eigener Formgeber und Gestalter. Er entwirft seine Buchstaben selbst und entscheidet auch selbst, wie er diese Formen verwendet. Der Kalligraph ist also Gestalter eines jeden einzelnen Elementes – der Buchstaben – wie auch des Ganzen – der Kalligraphie. Sonst muß ein guter Kalligraph ein Auge für die Details, aber auch für die Formgebung des Ganzen haben. Er ist ein Fachmann auf sehr verschiedenen Gebieten und vereint eine große Kenntnis der Arbeitsmittel und ihres Gebrauches mit einem guten Geschmack. Über den Geschmack soll hier nicht geschrieben werden; hier werden nur die kalligraphischen Techniken besprochen und auch, wie man sie erlernen kann. Dies alles wird nicht nur für

Herzlich Willkommen
im Städtischen Museum
Bad Brambach

9

die Basisschriften dargelegt, auch die Variationsmöglichkeiten, Anwendungsgebiete und das Layout werden in diesem Buch behandelt.

Die Kalligraphie ist eine Kommunikationsform, die die gleichen Anwendungsgebiete wie die Druckschriften kennt. Allerdings haben die kalligraphischen Buchstaben eine Eigenschaft, die Druckbuchstaben nicht besitzen, nämlich die des persönlichen Ausdrucks. Eine Kalligraphie ist immer das Ergebnis der Arbeit einer Person. Niemand anders als der Kalligraph kann die persönliche Note seiner Kalligraphie, sowohl der einzelnen Buchstaben als auch des Ganzen, so unterstreichen.

In dieser einzigartigen, persönlichen Aussage liegt vielleicht bei den meisten Kalligraphen die Faszination für ihre Arbeit. Sie birgt eine besondere Möglichkeit zur Selbstentwicklung. Man kann erkennen, daß ein jeder Mensch auf eine eigene Art und Weise spricht, läuft und sich ausdrückt, somit schreibt auch jeder Mensch auf seine persönliche Manier. Dies trifft nicht nur auf die Handschrift zu, auch die Kalligraphien werden von verschiedenen Menschen sehr unterschiedlich geschrieben. Man sollte sehr vor-

Mit großer Freude dürfen wir die Geburt unseres Sohnes FRIEDRICH LEOPOLD bekanntgeben. 12 März 1991 Peter und Marianne Huber Steinweg 17 · Osterberg

Alles Gute zum Neuen Jahr

sichtig sein und nicht zu schnell auf etwas Besonderes und Außergewöhnliches hinarbeiten. Dies ist zwar sehr natürlich, es besteht allerdings die Gefahr, daß man Eigenarten von anderen Kalligraphen übernimmt, die mit der eigenen Persönlichkeit nicht vereinbar sind.

Trotzdem wird das Kalligraphieren in der ersten Lernphase aus Imitationen und Nachahmungen bestehen. Erst wenn man die Buchstabenformen vollständig beherrscht, wenn man sie automatisch produzieren kann, ist der Augenblick für eigene Variationsmöglichkeiten gekommen. Diese Phase kommt von selber, man merkt es meist nicht einmal, daß man nunmehr die Buchstabenformen verändert. Allerdings ist dies ein ziemlich langer Prozeß, der mit dem Erlernen eines Musikinstrumentes vergleichbar ist.

Auch die Anwendungsgebiete der Kalligraphie sind sehr von persönlichem Geschmack und Vorlieben abhängig. Obwohl in der letzten Zeit die Entwicklung der technologischen Kommunikationsmittel immer schneller wird, scheint es, daß auch die Kalligraphie immer neue Anwendungsgebiete erobert. Gerade durch die persönliche Note einer Kalligraphie finden handgeschriebene

Zum Hochzeitstag die besten Wünsche

Verlobungs-, Hochzeits- und Geburtskarten größeren Anklang für ein solches wichtiges persönliches Ereignis als sterile Computerkarten. Obwohl das Angebot von vorgedruckten Glückwunschkarten enorm ist, finden es sehr viele Menschen angenehmer, eine kalligraphierte Karte zu versenden oder auch zu empfangen. Weihnachts- und Neujahrskarten bilden eine Herausforderung für viele Kalligraphen; auf die verschiedensten Arten probiert man am Ende des Jahres in eigener Manier, Glückwünsche zu versenden. Dies ist ein hervorragendes Anwendungsgebiet der Kalligraphie.

Für Anfänger auf dem Gebiet der Schreibkunst und ihrer Anwendungen wird in diesem Buch der Weg deutlich gemacht, wie man die Fähigkeiten und den persönlichen Geschmack entwickeln kann. Die Einteilung des Buches ist die eines Lehrbuches, so daß man das Kalligraphieren Schritt für Schritt erlernen kann.

Obwohl er natürlich das Endresultat nicht aus den Augen verlieren sollte, muß jeder Kalligraph am Anfang mit einfachen Übungen beginnen. Somit ist in diesem Buch eine logische Reihenfolge der Übungen gewählt, mit einfachen beginnend, mit schwierigeren Übungen endend. Neben dem theoretischen Lehrbuch sollte

man auch das Übungsbuch benutzen, um dadurch die eigenen Fähigkeiten zu kontrollieren.

Das Buch gliedert sich in zwei Teile. Im ersten Teil werden die verschiedenen Formen der westeuropäischen Schrift behandelt, wobei eine jede Schriftform in einem einfachen Alphabet abgebildet wird, in dem die Buchstaben eine Einheit bilden.

Anfänglich schreibt man die Buchstaben mit einem gewöhnlichen Filzstift, danach sollte man sofort die Breitfeder, das wichtig-

Am 18. Juli feiern wir unsere Hochzeit in der Evang. Kirche Friedberg

HEINER BACHMAN und PETRA MÜLLER

Hierzu möchten wir Sie sehr herzlich einladen

10.00 Uhr Gottesdienst
12.00 Uhr Aperitif
12.45 Uhr Mittagessen

Unsere Adresse:
Bergstraße 26 · 1000 Berlin 22

ste kalligraphische Arbeitsmittel, verwenden. Im beiliegenden Übungsbuch kann man die Theorie in die Praxis umsetzen. Allerdings ist es nicht ratsam, sofort zum Übungsbuch zu greifen; zuerst sollte man auf kariertem Papier einige Grundübungen durchführen. Im Text werden die Übungen des Übungsbuches angegeben.

Beherrscht man die Basisalphabete, kann man beginnen, diese zu Wörtern, Zeilen und Texten zusammenzufassen. Hier werden

Dem Goldenen Hochzeitspaar noch viele glückliche Jahre

13

auch die Grundregeln einer guten Schrift behandelt, so daß jeder Kalligraph seine eigene Persönlichkeit in der Schrift entwickeln kann, dies allerdings innerhalb einiger wichtiger Gesetzmäßigkeiten.

Im zweiten Teil sind einige wichtige Alphabete und ihre Variationsmöglichkeiten dargestellt. Auch diese Schriftarten finden sich im Übungsbuch wieder. Es ist sehr wichtig, daß man das Schreiben dieser Schriftarten auf die angegebene formelle Art und Weise erlernt. Nach der ersten Übungsperiode kann man freier arbeiten, da eine jede Schrift sehr persönlich interpretierbar ist, was vom Geschmack des Kalligraphen abhängt. Der eine mag sich an die vorgeschriebenen Abbildungen halten, ein anderer wird vielleicht gerade nach persönlicher Freiheit und individueller Formgebung streben. Wenn man die vorgegebene Formgebung beherrscht, werden sich die persönlichen Möglichkeiten von selbst entwickeln.

ZEUGNIS

UNTERRICHT IM FACH SCHREIBTECHNIK

Die Unterzeichnenden erklären hiermit daß _____
am oben genannten Unterricht am _____
mit Erfolg teilgenommen hat.
Die behandelten Aspekte waren:

1 · PERSÖNLICHE PRÄSENTATION
2 · AUFBAU DER PRÄSENTATION
3 · OPTISCHES GESAMTBILD

Hochlandschulzentrum   Praxo AG Bergdorf   Kandidat

Siegfried Schäfer   Anton Kallmeier
Dozent   Generalmanager

Erster Teil: Das Schreiben mit der Feder

Die Buchstaben

Alle Schriftarten, die wir im täglichen Leben sehen können, sind Varianten von drei verschiedenen Basisschriften: den Großbuchstaben – auch Kapitalen oder Majuskeln – und den Kleinbuchstaben – Minuskeln –, die wiederum unterteilt werden in Antiqua- und Kursivminuskeln.

Diese drei Schriftarten unterscheiden sich sehr deutlich voneinander in der Konstruktion und damit auch im Aussehen. Daher kommt es, daß man diese drei verschiedenen Formen niemals mischen darf. Alle westeuropäischen Schriften können in diese drei Hauptgruppen eingeteilt werden.

Die Kapitale

Das Großbuchstabenalphabet besteht aus sechsundzwanzig Buchstaben. Es ist die älteste Form unserer Schrift, aus der im Laufe der Zeit andere Schriftarten entstanden. Das Schreiben der starren, geraden Kapitalformen bildet eine gute Übung für den Anfänger.

Kapitale bestehen zum größten Teil aus geraden Linien, darum sollte man sie am besten auf kariertem Papier üben: Die senkrechten und waagerechten Linien bilden eine Hilfe, um alle Buchstaben gerade und gleich groß schreiben zu können. Für die ersten Übungen eignet sich am besten ein einfacher Filzstift. Erst wenn man die Buchstabenformen sauber beherrscht, muß man die breite (Kalligraphie-)Feder verwenden.

Eine gleichmäßigere Linie erhält man mit der Redisfeder. Diese Feder wird in einen Federhalter gesteckt und in die Tinte getaucht. An der Ober- und Unterseite befinden sich zwei kleine Tintenreservoire. Nachdem die Feder in die Tinte getaucht ist, sollte man erst einige Striche auf einem Skizzenpapier machen, da ansonsten der erste Strich mit einem Tintenklecks beginnt. Die Redisfeder kann man in verschiedenen Breiten kaufen, von einem halben bis zu fünf Millimetern. Die Spitze muß flach und gerade auf das Papier gesetzt werden und auch bei der Schreibbewegung immer in der gleichen Stellung bleiben, dann erst erhält man eine gerade und gleichmäßige Linie. Setzt man die Spitze nicht flach auf das Papier, wird die Linie bröckelig.

Mit einer Redisfeder kann man am besten auf ziemlich glattem Papier schreiben, da die Spitze dann gut über das Papier gleiten kann; im Unterschied zum Filzstift, der zum Schreiben ein rauheres Papier benötigt. Die Filzstifttinte hat jedoch die unangenehme Eigenschaft, sehr leicht auf dem Papier auszulaufen, manchmal sogar durch das Papier zu dringen. Für Übungen auf Skizzenpapier ist dies nicht so wichtig, allerdings sollte man beim Gebrauch des Übungsbuches auf diese Eigenschaft achten.

Der Beginn der Übungen besteht darin, gerade Linien zu ziehen, sowohl senkrecht als auch waagerecht. Die Karolinien des Papieres sind dafür eine willkommene Hilfe, da man sich an ihnen orientieren kann. Bei diesen Übungen wird kein Lineal verwendet, alle Linien müssen aus der freien Hand entstehen. Auch die

Einfache geometrische Formen, auf kariertem Papier zu üben

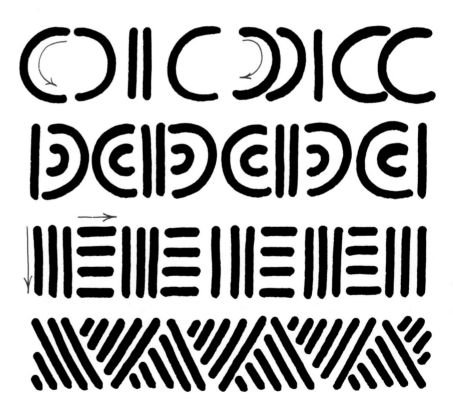

Alle Schreibbewegungen werden von oben nach unten ausgeführt

16

diagonalen Linien sollten gerade sein und genau an die anderen Linien anschließen. Die Schreibrichtung bei diesen Übungen ist immer die gleiche: Alle geraden Linien werden von oben nach unten und von links nach rechts gezogen. Auf diese Art kann man 20 der 26 Buchstaben des Großbuchstabenalphabetes schreiben.

Die übrigen sechs Buchstaben sind rund oder weisen runde Teile auf. Man sollte probieren, so genau wie möglich Kreise zu ziehen. Allerdings werden diese nicht als ein Kreis, sondern als zwei Halbkreise geschrieben. Auch diese zwei Halbkreise werden wiederum von oben nach unten gezogen.

Die Basisform der Buchstaben kann man mit regelmäßigen Mustern üben. In diesen Mustern sollten Gleichmäßigkeit, Parallelität und Rhythmus zum Ausdruck kommen. Solche Übungen fördern die Regelmäßigkeit der späteren Schrift.

Abwechselnd zum Schreiben dieser Muster – ganze Seiten voll mit dekorativen Figuren – sollte man die Buchstaben üben, allerdings mit der gleichen Sorgfalt. Hier unser Alphabet, wie wir es seit zweitausend Jahren verwenden: klassisch und doch modern, zeitlos.

Das Großbuchstabenalphabet ist mit dem Quadrat sehr verwandt (außer dem I, einem geraden Strich, und dem J, einem geraden Strich mit einem gebogenen Ausschwung).

ABCDEFGHIJKLMN OPQRSTUVWXYZ

Die Buchstaben A und V und natürlich die runden O und Q passen in ein Quadrat. C, D und G sind etwas schmaler. D ist an der Ober- und Unterseite völlig gerade; C und G sind nur leicht gebogen, so daß eine mehr hufeisenförmige Gestalt erkennbar ist.

Nur drei Viertel eines Quadrates bedecken die Buchstaben H, N, U, X, Y und T. Man sollte sie auf keinen Fall breiter schreiben, da ansonsten das Gesamtbild des Textes durch unerwünschte freie Flächen leiden würde.

Ein halbes Quadrat wird von B, P, R, K, S, E, F und L eingenommen. Auch sie sollten niemals breiter geschrieben werden, da sie sonst deformiert wirken.

Das römische Kapitalbuchstabenalphabet, mit einem Filzstift oder einer Redisfeder geschrieben

17

Die Buchstaben M und W sind etwas breiter als das Quadrat; M ist ein V mit zwei Beinen, W kann man aus zwei schmalen V zusammenfügen oder aber als M sehen, das auf dem Kopf steht. Auch besteht die Möglichkeit, zwei V überlappend zu schreiben.

Natürlich ist das Quadrat nur ein Hilfsmittel, um dadurch die Größenverhältnisse kennenzulernen. In der Praxis überschreiten die Enden von A, V, W, M und N die Linien des Quadrates ein wenig, da sie ansonsten zu klein erscheinen würden. Da ein Kreis kleiner als ein Quadrat erscheint, werden auch die runden Buchstaben etwas größer als die geraden geschrieben. Sie überschreiten somit die Hilfslinien, zwischen welche die geraden Buchstaben geschrieben werden. Die Schwänzchen des J und Q überschreiten an der Unterseite die Schreibzeile.

Das karierte Papier ist nur für den Anfänger ein gutes Hilfsmittel. Wenn man einmal die Größenverhältnisse der einzelnen Buchsta-

Die Großbuchstaben kann man in Gruppen einteilen, eine jede steht in einem mathematischen Verhältnis zum Quadrat

ben erlernt hat, sollte man auf das karierte Papier verzichten, da die Buchstaben niemals in Kästchen geschrieben werden und ihr Abstand auch niemals von Kästchen abhängig sein darf.

AACHEN·DORTMUND FRANKFURT·CHIEMSEE HANNOVER·ISLISBERG

AACHEN·DORTMUND FRANKFURT·CHIEMSEE HANNOVER·ISLISBERG

AACHEN·DORTMUND FRANKFURT·CHIEMSEE HANNOVER·ISLISBERG

Werden die Buchstaben fetter geschrieben, so nimmt der Abstand zwischen den Buchstaben und Zeilen ab

Wenn man die Form der Buchstaben beherrscht, sollte man auf liniertem Papier weiterschreiben, wobei ein jeder Buchstabe zwischen die Hilfslinien geschrieben wird. Dies gilt nicht für die Schwänzchen – sie überschreiten nach wie vor die Hilfslinien. Man kann nach Belieben die Hilfslinien selbst ziehen, so daß man in jeder gewünschten Größe kalligraphieren kann.

Buchstaben, die man mit einer schmaleren Feder schreibt, werden weiter auseinandergeschrieben als mit einer breiteren Feder. Anders ausgedrückt: Mit zunehmender Liniendicke nimmt der Abstand zwischen den Buchstaben ab. In den Beispielen auf dieser Seite werden auch die Zeilenabstände mit zunehmender Liniendicke kleiner. Dadurch entsteht eine gleichmäßige Zunahme des Grauwertes eines Textes.

Indem man eine breitere Feder benutzt, kann man auf eine einfache Art einen Kontrast herstellen, der ein sehr wichtiges kalligraphisches Hilfsmittel ist. Die Abwechslung von starken und schwachen Linien ergibt automatisch ein interessantes graphisches Gesamtbild. Es ist natürlich sehr sinnvoll, auch diese Kontraste zu üben: ganze Seiten mit großen und kleinen, dicken und dünnen sowie schwarzen und farbigen Buchstaben vollzuschreiben.

!?";:/– 1234567890

Ziffern und Satzzeichen verwendet man auch bei Kapitalalphabeten

Auf liniertem Papier ist man gezwungen, in einer bestimmten Größe und mit einem bestimmten Abstand zu schreiben. Daher ist es sehr sinnvoll, nach einiger Zeit die Hilfslinien selbst zu ziehen. Da es jedoch mühsam ist, alle Übungsblätter mit Bleistift zu linieren, sollte man mit einem Unterlegblatt arbeiten. Wie man auf unliniertem Schreibpapier mit einem Unterlegblatt schreiben kann, kann man auch mit einem selbst hergestellten Unterlegblatt kalligraphieren.

Am besten fertigt man sich mehrere Unterlegblätter mit verschiedenen Lineaturen an, um damit in sehr unterschiedlicher Größe und Breite kalligraphieren zu können. Die Unterlegblätter sollten das Format DIN A 4 aufweisen. Damit kann man auch auf DIN A 3-Papier schreiben, indem man das Papier in der Mitte faltet, was den Vorteil hat, daß sich das Unterlegblatt nicht ver-

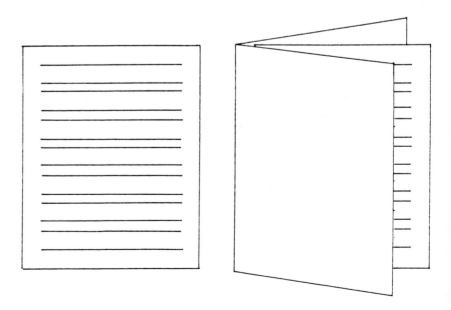

Ein großes Blatt Papier wird um das Unterlegpapier gefaltet, so daß sich dieses nicht mehr verschiebt

20

schiebt. DIN A 3-Fotokopierpapier läßt sich meist sehr gut beschreiben und ist auch durchscheinend genug.

Zum Stoff, den wir hier behandeln, gehört die erste Übung des Übungsbuches: Schreiben der Großbuchstaben mit einem Filzstift oder einer Redisfeder von 1 mm (siehe Seiten 6 und 7).

DER CHARAKTER EINES TEXTES VERÄNDERT SICH WENN DIE BUCHSTABEN AUF EINE ANDERE WEISE GESCHRIEBEN WERDEN

Die Breitfeder

Die gleichen Buchstaben mit der Kalligraphiefeder geschrieben

Der Charakter einer Schrift wird durch die Federspitze bestimmt. Ein Filzstift mit einer stumpfen Spitze oder auch eine Redisfeder sind für die ersten Übungen sehr gut geeignet. Für echte Kalligraphien verwendet man allerdings die sogenannte Breitfeder. Sie hat eine beitelförmige Spitze, und man kann mit dieser Feder größer oder kleiner, dicker oder dünner schreiben.

Die Breitfeder ist in den verschiedensten Formen erhältlich: als Füllfederhalter – was für den Anfänger das beste ist – oder aber als Eintauchfeder, die dem fortgeschrittenen Kalligraphen mehr Möglichkeiten bietet.

Für beide Federarten, den Füllfederhalter wie auch die lose Feder, benutzt man Füllfederhaltertinte, da sie die besten Resultate liefert. Ein Füllfederhalter darf niemals mit wasserfester Zeichentusche oder mit chinesischer Tusche gefüllt werden. Diese sind nur für Eintauchfedern geeignet, und damit zu schreiben ist ziem-

21

Das Schreiben mit der Feder

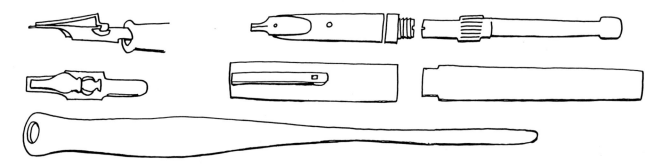

Die Eintauchfeder mit ihrem Tintenreservoir wird in einen Federhalter gesteckt

Der Füllfederhalter hat ein Reservoir, das sich im Federhalter befindet

lich schwierig. Daher sollte sich der Anfänger auf den Gebrauch von Federhaltertinte beschränken.

Auch die Füllfederhalter sind in den verschiedensten Breiten lieferbar. Für den Anfänger ist es das beste, eine Federbreite von 1,5–2 mm zu wählen. Mit einer solchen Federbreite sind die meisten Beispiele des Übungsbuches geschrieben. Auf die gleiche Art sollten auch die Übungen ausgeführt werden.

Auch die Eintauchfedern sind in verschiedenen Breiten erhältlich. Die schmalsten sind ungefähr einen halben Millimeter breit, die breitesten einige Zentimeter. Eine Eintauchfeder ist immer mit einem kleinen Tintenreservoir ausgestattet. Zum Schreiben wird die Feder in die Tinte getaucht. Man kann sie allerdings auch mit einer Pipette füllen oder mit einem Pinsel anstreichen. Es ist sehr wichtig, die Feder nach dem Eintauchen erst auf einem Stück Papier abzustreichen, wodurch die Tintentropfen, die noch an der Feder hängen, verschwinden. Nach den Schreibübungen sollte man die Feder gut mit Wasser spülen und mit einem Tuch trocknen.

Die gesamte Breite der Feder muß auf dem Schreibpapier aufliegen, nur so entsteht eine Linie, die der Federbreite entspricht. Beide Seiten dieser Linie müssen glatt und gleichmäßig sein. Ist dies nicht der Fall, ist die Linie auf einer Seite unscharf, hat die Federspitze nicht völlig auf dem Papier aufgelegen.

Der Federhalter zeigt in einer entspannten Schreibhaltung ungefähr zur Schulter. Zeigt der Federhalter mehr in Richtung des Körpers oder von der Schulter weg, muß man die Schreibhaltung

Die gesamte Fläche der Breitfeder liegt auf dem Papier und bildet einen Winkel zur Zeile, der konstant bleiben sollte

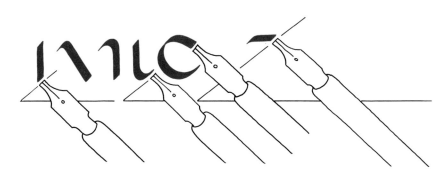

22

und die Lage des Federhalters in der Hand korrigieren. Der Winkel zwischen der Federspitze und der Schreibzeile sollte ungefähr 30° bis 40° betragen. Es ist sehr wichtig, daß sich dieser Winkel – die Federstellung – während des Schreibvorganges nicht verändert.

Eine konstante Federstellung bestimmt die Regelmäßigkeit in der Stärke der Buchstaben. Bei den meisten Schriftarten sollte man eine Federstellung von 30° wählen – die senkrechten Linien sind dann etwas stärker als die waagerechten. Für den Anfänger ist es nicht schlimm, wenn er eine Federstellung von 45° wählt.

Linkshänder

Auch für Linkshänder ist es möglich, mit der gleichen Qualität wie Rechtshänder zu kalligraphieren. Allerdings müssen sie eine andere Lage des Papiers in Kauf nehmen. Der Linkshänder dreht sein Papier um 90° und schreibt somit von oben nach unten. Dies wird am Anfang sehr ungewohnt sein, mit einiger Übung gewöhnt man sich allerdings sehr schnell an die neue Lage der Buchstaben.

Es gibt spezielle Federn für Linkshänder, die an der Spitze abgeschrägt sind. Sie können sehr handlich sein, sind aber für den Kalligraphen nicht unbedingt nötig.

Auch Linkshänder müssen natürlich genau die gleichen Buchstaben wie die Rechtshänder schreiben, somit müssen auch sie die gleiche Federstellung gebrauchen. Für den Linkshänder ist eine Federstellung von 30° sehr einfach realisierbar, sie wird sogar mit einer geraden Feder ohne Probleme erreicht. Mit einer Spezialfe-

Rechtshänder benutzen in der Regel eine gerade Feder, auch die nach rechts abgeschrägte Federspitze ist für Rechtshänder. Die nach links abgeschrägte Spitze wird von Linkshändern benutzt

Linkshänder müssen das Papier um 90° drehen

23

der für Linkshänder ist dies noch einfacher. Sie hat allerdings den Nachteil, daß das Papier nicht so weit gedreht werden muß, was für den Gesamtüberblick ungünstig ist. Die beste Kontrolle hat man, wenn man das Papier völlig quer auf den Tisch legt, die senkrechten Linien der Buchstaben sind dann genau parallel zur Tischkante.

Übungen zur Federhaltung

Sowohl Rechtshänder als auch Linkshänder müssen ein Gefühl für den Umgang mit der Feder entwickeln. Die besten Übungen dafür sind die oben beschriebenen geometrischen Muster, da hierdurch die Gleichmäßigkeit der einzelnen Teile der Buchstaben, die Striche und Bogen, am besten geübt werden können.

Beim Gebrauch der Breitfeder ist es wichtig, daß man immer die gleiche Federstellung beachtet – alle senkrechten Linien haben dann dieselbe Stärke. Auch ist es sehr wichtig, daß der Federhalter immer in die gleiche Richtung, zur Schulter, zeigt. Der Winkel zur Schreibzeile bleibt dadurch konstant. Auf diese Weise kann man geometrische Figuren zeichnen, die in den meisten Buchstaben zu finden sind: die senkrechten Striche und die zwei Halbkreise des O. Mit der Herstellung von Mustern aus diesen Einzelteilen wird die Federhaltung am besten geübt.

Als Übung kann man geometrische Formen zu regelmäßigen Mustern zusammenfügen

Das Schreiben von Buchstaben mit der Breitfeder

Das Schreiben von Großbuchstaben mit dem Filzstift wurde bereits geübt. Dies ist auch mit der Breitfeder möglich. Dazu sollte man allerdings mit der Benutzung der Breitfeder gut vertraut sein. Da die Kapitalschrift die Ausgangsform aller Schriften darstellt, ist es logisch, damit zu beginnen.

Die Buchstaben werden auf die bekannte Art und Weise geschrieben, nämlich Strich für Strich, immer von oben nach unten und von links nach rechts. Die Federspitze bildet mit der Schreibzeile einen Winkel von 20° bis 30°, der konstant bleiben muß. Diese Gleichmäßigkeit ist für den Anfänger sehr wichtig, später kann man den Winkel während des Schreibens verändern, um damit die gewünschten Unterschiede in der Stärke der Linien zu

Das Majuskelalphabet mit der Reihenfolge der Linienführung

erhalten. Es ist leicht zu erkennen, daß einige Linien, die mit konstanter Federstellung geschrieben wurden, für das Auge zu dick oder auch zu dünn erscheinen. Beim linken Bein des M wie auch bei den senkrechten Linien des N muß man die Federstellung verändern: der Winkel wird dann größer, der Federhalter zeigt von der Schulter weg, und die Linien werden dünner. Bei den Schrägstrichen des K, X, Y und Z, geschrieben von rechts oben nach links unten, wird der Winkel kleiner, so daß diese Linien dicker werden.

In dieser Übungsperiode sollte man auch probieren, den Blick für die Größenverhältnisse der Buchstaben zu entwickeln. Das O hat in einem jeden Alphabet eine sehr wichtige Funktion: Alle

P B E F

Größenverhältnisse orientieren sich am O. Die runden Buchstaben sind ebenso rund, die breiten ebenso breit, und die schmalen füllen die halbe Fläche des O.

Die Federbreite muß sich an der Größe der Buchstaben orientieren. Die Höhe der Kapitalen soll ungefähr das Achtfache der Federbreite betragen. Das bedeutet, daß die Buchstaben, die mit einer Feder von 2 mm geschrieben wurden, 16 mm hoch sind. (Auf kariertem Papier mit einer Kästchenhöhe von 5 mm beträgt die Höhe der Buchstaben 3 Kästchen: 15 mm.) Der Anfänger sollte nicht viel kleiner schreiben, da dann leicht „kritzelnde" Bewegungen entstehen, obwohl man aus der ganzen Hand die Feder über das Papier bewegt. Die Hand stellt eine Verlängerung des Federhalters dar.

Man sollte sich bei den Übungen nicht zu lang auf kariertes Papier konzentrieren, es ist ratsam, so schnell wie möglich echte Texte zu schreiben. Die Funktion von Buchstaben wird erst im Wort- und Satzverband deutlich. Am besten ist es, die Wörter nicht mit Bleistift vorzuschreiben, sondern sofort mit der Feder zu beginnen. Der Lernprozeß wird dadurch gefördert.

*Einige Linien unterscheiden
sich von anderen. In solchen
Fällen wird die Federstellung
verändert*

Spationierung

Sobald man mit dem Schreiben von Wörtern beginnt, entsteht ein
neues Problem, nämlich das des Abstandes der Buchstaben zueinander. Kariertes Papier wird den Anfänger dazu verleiten, jeden
Buchstaben in ein leeres Kästchen zu schreiben. Das ist falsch,
weil dadurch eine falsche Verteilung der Zwischenräume entsteht. Auf der anderen Seite ist es auch verkehrt, alle Buchstaben
mit dem gleichen Abstand zu schreiben. In der ersten Zeile der
Abbildung sind alle Abstände gleich, was das Schriftbild sehr unregelmäßig erscheinen läßt: bei den geraden, parallelen Strichen
entsteht ein dunkler „Klecks" von Linien, die Räume des L und A
erscheinen als großes Loch. Am besten ist es, die Buchstaben so zu
verteilen, daß, wenn man die Augen halb schließt, eine gleichmäßige graue Fläche ohne dunklere und hellere Stellen erkennbar ist.

In der zweiten Abbildung wurden die Zwischenräume den Öffnungen der weiten Buchstaben, der Fläche zwischen den Balken
des L und A, angeglichen. Eine solche Anpassung der Zwischenräume nennt man „spationieren". Spationierung bedeutet die
gleichmäßige Verteilung der Zwischenräume der Buchstaben.
Großbuchstaben dieser Art können ziemlich weit auseinander
geschrieben werden, da sie viel Platz einnehmen. Auf die

*Beim ersten Wort sind die
Abstände gleich verteilt, da-
durch wird es schwer lesbar.
Beim zweiten Wort sind die
Abstände nach dem Augen-
maß gleich*

*Die weißen Flächen zwi-
schen den Buchstaben müs-
sen gefühlsmäßig die gleiche
Größe haben, auch wenn sie
verschiedene Formen haben*

Spationierung bei anderen Schriftarten wird später noch eingegangen, allerdings gelten auch hierfür die gleichen Regeln.

Eine gleichmäßige Verteilung der Buchstaben ist eine Gefühlsangelegenheit, man kann dafür niemals ein Lineal verwenden. Die Spationierungsregeln sind nur durch viel Übung und Selbstkritik zu erlernen. So erkennt man einen guten Kalligraphen mehr am harmonischen Äußeren seines Werkes als an der Originalität der Buchstaben, mit denen er arbeitet.

Wortzwischenraum und Zeilenabstand

Wörter werden zu Zeilen verbunden. Auch die Zwischenräume zwischen den einzelnen Wörtern müssen bestimmten Regeln unterworfen werden. Der Abstand von einem Wort zum andern darf nicht zu klein sein – die Wörter wirken aneinandergereiht und sind schwer zu lesen –, auf der anderen Seite dürfen sie nicht zu weit auseinander geschrieben werden, da sie dann ihren Zusammenhang verlieren. Auch hierbei orientiert man sich am O der betreffenden Schriftart, es sollte zwischen zwei Wörter „eingeklemmt" werden können.

Auch die Zeilen sollten nicht zu eng aufeinander folgen; zu große Zeilenabstände sind nicht empfehlenswert. Hierfür gilt die Grundregel, daß der Zeilenabstand bei den Großbuchstaben ungefähr eine Buchstabenhöhe beträgt.

Man sollte erst alle Regeln in Gedanken üben. Am Anfang wird es sehr schwerfallen, alle Anweisungen zu beachten. Allerdings werden innerhalb kürzester Zeit alle Regeln automatisch in Fleisch und Blut übergehen. Es ist ratsam, die Regeln in einer Reihenfolge zu beachten: 1. die saubere Buchstabenfolge, 2. das Gesamtbild der Buchstaben eines Wortes, 3. die Wörter und ihre Zwischenräume in einer Zeile, 4. die Zeilen und ihr Abstand in einem Text.

Das sind die wichtigsten Beurteilungskriterien einer Kalligraphie.

Die Seiten 8 und 9 des Übungsbuches enthalten Übungen zum Schreiben von Großbuchstaben mit der Breitfeder.

Antiqua

In der Kalligraphie verwendet man neben Großbuchstaben auch Kleinbuchstaben. Diese nennt man Minuskeln. Minuskeln verwenden wir viel häufiger als die Kapitalen: alle Texte von Zeitungen und Büchern werden, mit Ausnahme der Anfangsbuchstaben einiger Wörter, aus Kleinbuchstaben gesetzt. Auch hier empfiehlt es sich, beim Schreiben mit dem Filzstift auf kariertem Papier zu beginnen. Die Kleinbuchstaben sind eine Art Blockschrift und erinnern uns an die Druckbuchstaben.

Zum Üben kann man Beispiele auf den Seiten 10 und 11 des Übungsbuches finden.

abcdefghijklmn opqrsßtuvwxyz

Verwendet man ein Minuskelalphabet zum Kalligraphieren, muß man auch kapitale Anfangsbuchstaben verwenden. Ein solches Minuskelalphabet ist immer mit einem zugehörigen Großbuchstabenalphabet verbunden.

Das abgebildete Beispiel ist ein Antiqua-Minuskelalphabet. Diese Buchstaben kann man mit den klassischen römischen Großbuchstaben kombinieren, sie werden auf die gleiche Art geschrieben: Strich um Strich werden sie zusammengesetzt. Die Bewegungen werden von oben nach unten und von links nach rechts geführt. Nach einem jeden Strich wird die Feder vom Papier abgehoben.

Wie beim Großbuchstabenalphabet orientieren sich alle Buchstaben des Kleinbuchstabenalphabetes am o. Seine Breite finden

Antiquaalphabet, das mit dem Filzstift oder der Redisfeder geschrieben wird

*Antiqua mit der Breitfeder.
Die Reihenfolge der Linienführung ist angegeben*

wir in den meisten Buchstaben wieder, in den runden und gerun-
deten, auch in anderen Buchstaben wie n, u, s.

Die Fläche in den Buchstaben, zum Beispiel beim o oder auch
zwischen den Beinen des n, bestimmt auch hier die Spationie-
rungsregel. Auch bei einer Kleinbuchstabenschrift müssen die
Buchstaben und ihre Zwischenräume gleichmäßig verteilt werden: Man muß mit dem Augenmaß bestimmen, an welcher Stelle
der nächste Buchstabe geschrieben wird. In vielen Fällen wird es
vorkommen, daß sich die Buchstaben sogar berühren. Diese An-
einanderschreibung ist nicht nur möglich – sie ist nötig. Wenn ein
Buchstabe eine offene Fläche bildet – dies ist beim r, c und e gut
erkennbar, aber auch bei f und t –, müssen die Buchstaben miteinander verbunden werden.

cedqbp o
mhu n
ffftetch tt

Der Wortzwischenraum darf nicht breiter als ein o sein, die Zeilen müssen soweit auseinander geschrieben werden, daß sich die Ober- und Unterlängen nicht berühren.

Es ist wichtig, die Buchstaben erst auf kariertem Papier zu üben, damit die richtigen Größenverhältnisse erlernt werden. Mit einer 2 mm breiten Feder schreibt man die Kleinbuchstaben mit einer Höhe von 1 cm, die Buchstaben ohne Ober- und Unterlängen werden dann zwei Kästchen hoch. Diese Höhe nennt man die n-Höhe. Die Ausschwünge überschreiten die n-Höhe nach oben und nach unten.

Die zugehörigen Großbuchstaben werden in der Übungsphase mit einer Höhe von drei Kästchen geschrieben – sie sind somit kleiner als die Buchstaben mit einer Oberlänge. Dies ist normal: Großbuchstaben sind immer kleiner als die dazugehörigen Kleinbuchstaben mit einer Oberlänge.

Die Seiten 12 und 13 des Übungsbuches enthalten Übungen zum Schreiben von Antiquaminuskeln mit der Breitfeder.

Die Breite des o und des n sollte in den anderen Buchstaben wiederzufinden sein, auch in den Ligaturen

mummeln

mummeln

Das erste Wort ist zu eng geschrieben, man sollte die Abstände nach dem zweiten Vorbild wählen

31

Man muß immer mit genügend Abstand zwischen den Buchstaben, Wörtern und Zeilen schreiben.

Beim Schreiben achtet man auf diese drei Zwischenräume

Kursive

Neben den Antiquaminuskeln benutzen wir auch noch ein anderes Kleinbuchstabenalphabet: die Kursivminuskeln. Die bisher behandelten Schriften werden auf formelle Art und Weise geschrieben, das bedeutet, daß man sie aus Einzelteilen zusammensetzt. Die Kursivminuskeln werden hingegen informell geschrieben, in einer gleichmäßigen, fließenden Bewegung, ohne daß die Feder vom Papier abgesetzt wird.

Zum Üben dieser Bewegung empfiehlt es sich auch hier, erst die Buchstaben mit Filzstift zu schreiben. Im Übungsbuch findet man auf Seite 14 und 15 Übungen.

Kursivminuskeln für den Filzstift oder die Redisfeder

abcdefghijklmn opqrsßtuvwxyz

Kursivalphabet, mit der Breitfeder geschrieben. Die Reihenfolge der Linien ist angegeben

Die meisten Kursivbuchstaben schreibt man in einer Bewegung, ohne die Feder vom Papier abzusetzen

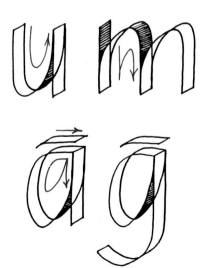

Danach kann man zum Schreiben mit der Breitfeder übergehen. Für die meisten Buchstaben entstehen dabei keinerlei Probleme, die schwierigeren werden ausführlich beschrieben.

Die Kursivminuskeln unterscheiden sich nicht nur in der Schreibweise, sondern auch in der Buchstabenform von den Antiquaminuskeln. Das kursive a ist an der Oberseite geschlossen, das g ist ein a mit einem Schwänzchen, das k erhält eine kleine Rundung, so daß ein „Auge" entsteht, selbst das f wird mit einem Schwänzchen geschrieben. An diesen Kriterien erkennen wir leicht die Kursivschrift.

Auch hier gelten die Regeln für die Spationierung und die Zeilenzwischenräume, wie sie bereits beschrieben wurden. Da die Kursivbuchstaben ziemlich schmal sind, die Fläche zwischen den

Beinen des n sehr klein ist, werden sie mit kleineren Zwischenräumen geschrieben.

Zum Schreiben der Kursivschrift benötigen wir eine Feder, die die Tinte gleichmäßig fließen läßt, sowie Papier, das nicht zu rauh ist, da ansonsten die Feder ins Papier sticht.

Die Dächer des a, d, g und q werden von rechts nach links gezogen. Wenn Papier oder Feder aufgrund ihrer Rauheit dies nicht zulassen, sollte erst von links nach rechts und danach, über die noch feuchte Tinte, wieder zurückgeschrieben werden. So läßt sich der Buchstabe doch noch in einer fließenden Bewegung schreiben. Beim d nehmen wir die Feder in der Hälfte der Oberlänge von Papier, danach schreibt man die Oberlänge von oben nach unten. Dadurch wird vermieden, daß sie zu dick wird.

Wie bei allen Schriftarten sollte auf die Gleichmäßigkeit der Bogen geachtet werden. Der Bogen des d muß das genaue Spiegelbild des p sein. Die Kursivminuskeln geben ein schmales, ovales Bild, im Gegensatz zu den Antiquaminuskeln, die breit und rund sind.

Für Übungen kann man die Seiten 16 und 17 des Übungsbuches benutzen.

Die meisten Kursivminuskeln werden geschrieben, ohne die Feder vom Papier abzusetzen.

S-Laute

Neben dem normalen s kennt man in der deutschen Schrift noch das ∫, das ∫∫ und das ß. Das lange s kommt ursprünglich aus der römischen Kursivschrift, was am Häkchen an der linken Seite des Buchstabens zu erkennen ist. Dieses Häkchen ist ein Rest des untersten Bogens, der an den Hals des Buchstabens geschrieben wurde.

34

Das lange ſ steht immer im Anlaut, im Inlaut steht ſ am Anfang einer Silbe, und zwar nach Mitlauten und zwischen Selbstlauten, wenn ſ den stimmhaften S-Laut bezeichnet.

ß steht zur Bezeichnung des stimmlosen S-Lautes im Inlaut
immer nach langem Selbstlaut, im Auslaut aller Stammsilben, die
im Inlaut mit ß oder ſſ geschrieben werden, für ſſ, wenn ein
tonloses e ausfällt.

ſſ steht im Inlaut zwischen Selbstlauten, von denen der erste
kurz ist.

Das Schluß-s steht im Auslaut aller Stammsilben, die im Inlaut
mit ſ geschrieben werden; aller Beugungsendungen; aller Sprach-
silben von Fremdwörtern; von Wörtern auf -nis, -is, -us, -as, -es,
obwohl im Inlaut ſſ steht. Das Schluß-s steht als Fugen-s in zu-
sammengesetzen Wörtern. (Siehe dazu: Duden Rechtschreibung,
19. Aufl. 1986, S. 75 f., Duden-Verlag, Mannheim/Zürich)

Diese Regeln sind immer zu beachten, nicht nur in den gotischen
Schriften (wie Textur, Schwabacher, Fraktur und Rotunda), sondern auch in der Antiqua und Kursivschrift. In letzterer kann allerdings das s anstelle des ſ stehen.

Ziffern

Es werden zwei Arten von Ziffern unterschieden. Ziffern, die die-
selben Größen haben, werden vor allem bei Kapitalschriften verwendet, andere, ausgeschwungene Ziffern werden mit den Minuskelschriften kombiniert.

Auch die römischen Ziffern kann man in Kalligraphien verwenden, zum Beispiel als Datum in einer Urkunde. Römische Ziffern
bestehen aus Buchstaben, die in einem einfachen System zu Zahlen kombiniert werden. Römische Ziffern lassen sich mit allen
Majuskel- und Minuskelstilen schreiben, es ist allerdings wichtig,
daß sie in dem gleichen Stil, in welchem der Text geschrieben
wurde, kalligraphiert werden.

*Die verschiedenen s-Formen
kommen aus der römischen
Kursivschrift. Sie müssen auf
die richtige Art und Weise
verwendet werden*

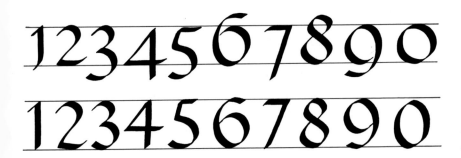

*Ausschwingende Ziffern und
Ziffern der gleichen Größe*

Satzzeichen

Die Satzzeichen sollten sehr unauffällig geschrieben werden. Allerdings dürfen sie ihre Deutlichkeit nicht verlieren. Satzzeichen setzt man ohne besonderen Zwischenraum hinter den letzten Buchstaben eines Wortes. Ihr Aussehen ist unabhängig von der Schriftart, in der sie verwendet werden; die Satzzeichen in der Illustration können mit allen Schriftarten verbunden werden.

Unser kalligraphisches Arbeitsmaterial ist nunmehr komplett. Wir kennen Kapitale, Minuskel Antiqua, Kursivminuskel, Satzzeichen und Ziffern. Wir kennen ihre Größenverhältnisse und wissen, wie man sie auf harmonische Art und Weise spationieren muß und den richtigen Zeilenabstand finden kann. Mit diesem Wissen kann es nun an die Arbeit gehen. Es ist sehr sinnvoll, erst diesen Basisstoff gründlich geübt zu haben und zu beherrschen, bevor dieses Buch weiter erarbeitet wird.

Hier sollen nun ein paar Veränderungsmöglichkeiten besprochen werden, die einen Einfluß auf die persönliche Schreibweise eines Kalligraphen haben und Vielfalt und Variationen bis ins Unendliche wachsen lassen können. Diese Verzierungsvariationen lassen sich für alle Alphabete verwenden, die im zweiten Teil unseres Buches behandelt sind.

Antiquaminuskeln mit Serifen erscheinen als Schreibmaschinenbuchstaben

abcdefghijklmn
opqrsßtuvwxyz

Serifen oder An- und Abstriche

Dies sind kleine Linien, die am Beginn und am Ende eines Buchstabens zur Verzierung stehen können. Man kann alle Schriftarten mit solchen An- und Abstrichen versehen, ihr Charakter verändert sich dann sehr stark.

ABCDEFGHIJ
KLMNOPQRS
TUVWXYZ!?

um
um
um
um

An- und Abstriche, die mit einer stumpfen Feder, zum Beispiel der Redisfeder, geschrieben werden, geben der Schrift ein Aussehen, das dem der Schreibmaschinenschrift ähnelt. Mit der Breitfeder geschrieben, werden die An- und Abstriche automatisch viel dünner und schwächer und damit viel feiner und eleganter. Diese Linien sind in sehr verschiedenen Formen zu finden. Für die Regelmäßigkeit der Schrift ist es von großer Wichtigkeit, daß sie alle in einem Text die gleiche Form haben.

Serifen können die verschiedensten Formen annehmen

abcdefghijklmn
opqrsßtuvwxyz

Serifen in der Kursivschrift sind immer fließend, was dem Charakter der Kursivschrift entspricht. Man schreibt auch hier einen jeden Buchstaben mit An- und Abstrichen in einer Bewegung.

abcdefghijklmno
pqrſsßtuvwxyz

um
um

37

Nicht nur Minuskeln können wir mit An- und Abstrichen versehen, auch die Kapitalbuchstaben eignen sich vorzüglich für diese Art der Verzierung. Auf der einen Seite werden sie dadurch „vornehmer", wie es in den römischen Inschriften zu erkennen ist, auf der anderen Seite können sie auch geschmeidiger und fließender werden.

Die Federbreite

Die Breitfeder ist für Dicke und Schlankheit eines Buchstabens wie auch für seine saubere Linienführung verantwortlich. Das Verhältnis zwischen Federbreite und der Buchstabengröße ist von Bedeutung für das Gleichgewicht zwischen den schwarzen Linien eines Buchstabens und den weißen Räumen, die sie umschließen. Im Idealfall gilt die folgende Grundregel: Die Größe eines Kapitalbuchstabens beträgt das Achtfache, die n-Höhe der Minuskel das Fünffache der Federbreite. Man kann zwar von dieser Regel abweichen, um bestimmte Wirkungen zu erzielen. Der Anfänger sollte sie jedoch zunächst gründlich üben.

Wir haben nun zwei Möglichkeiten:
1. Man wählt eine bestimmte Federbreite und errechnet den Abstand der Hilfslinien. Bei einer Feder von 2 mm müssen die Großbuchstaben 16 mm und die Kleinbuchstaben, ohne Ober- und Unterlängen, 1 cm hoch sein.
  Die Länge der Ober- und Unterlängen der Minuskel kann frei variiert werden. Sie ist völlig vom Geschmack des Kalligraphen abhängig.
2. Es kann nötig sein, in einer bestimmten Größe zu schreiben. In diesem Fall muß die Breite der Feder errechnet werden. Großbuchstaben mit einer Höhe von 3 cm benötigen eine Feder, die 3:8

Die Federbreite und der Abstand zwischen den Hilfslinien, also die Buchstabengröße, stehen in einem bestimmten Verhältnis

38

= 0,375 cm beträgt, also benutzt man die 4-mm-Feder. Minuskeln mit einer Höhe von 12 mm verlangen eine Feder von 12:8 =1,5 mm.

Die Regelmäßigkeit einer Schrift wird durch die Gleichmäßigkeit der Buchstabengröße bestimmt. Bei einer Großbuchstabenschrift werden zwei Hilfslinien benötigt, zwischen die man die Buchstaben kalligraphiert – nur die Schwänze des Q und J überschreiten diese Linien. Für Minuskeln benötigt man vier Hilfslinien: zwei zur Bestimmung der n-Höhe, die anderen beiden für die Ober- und Unterlängen der Buchstaben.

Nachdem auf kariertem Papier geübt wurde, kann man selber Unterlegpapier herstellen, was den Vorteil hat, daß nicht jede Seite neu zu linieren ist. Bei einer Kalligraphie auf dickem, gutem Papier muß man natürlich selbst seine Hilfslinien ziehen. Dies geschieht am besten mit einem harten, spitzen Bleistift.

kalligraphieren
kalligraphieren
kalligraphieren
kalligraphieren
kalligraphieren
kalligraphieren
kalligraphieren
kalligraphieren

Schreibt man Buchstaben derselben Größe mit einer breiteren Feder, dann werden die Buchstaben fetter. Ihr Abstand wird dann auch kleiner

39

Die Regelmäßigkeit einer Schrift wird von der Sauberkeit der senkrechten Linien bestimmt: Alle Buchstaben müssen die gleiche Richtung haben, um nicht den Eindruck zu erwecken, daß sie umkippen. Somit ist es sinnvoll, auf einer Unterlage auch senkrechte Linien zu ziehen, die die Richtung der senkrechten Buchstabenlinien angeben: bei senkrechten Schriften gerade Linien im 90°-Winkel zur Zeile, bei schrägen Schriften kann man selbst einen passenden Winkel wählen.

Mit der Veränderung der Federstellung verändert sich auch der Charakter einer Schrift

Fett und mager

Obwohl es eine Grundregel für das Verhältnis zwischen der Federbreite und der Buchstabendicke gibt, steht es Kalligraphen frei, eine andere Federbreite zu einer bestimmten Buchstabengröße zu bestimmen. Um gewisse Effekte zu erreichen, kann man die Schrift einer bestimmten Größe schwerer oder auch leichter erscheinen lassen. Fette Buchstaben werden mit einer breiteren und magere mit einer schmaleren Breitfeder geschrieben (breit und schmal ist hier in bezug auf die Buchstabengröße gemeint).

Innerhalb gewisser Grenzen kann man die Idealform jeder Schriftart, die oben beschriebener Regel unterworfen ist, fetter und magerer schreiben. Hierdurch wird die Möglichkeit der Variation aller Schrifttypen für den Kalligraphen ungefähr verzehnfacht.

Diese Unterschiede in der Buchstabendicke beschränken sich auf die Veränderung des Charakters einer Schrift. Verändern sich die Buchstabenformen oder wird die Schrift schlecht lesbar, ist die Grenze der Variationsmöglichkeiten erreicht. So ist zum Beispiel der Charakter der gotischen Schrift schmal und fett. Schreibt man die Buchstaben zu dick oder auch zu dünn, kann nicht mehr von einer gotischen Schrift gesprochen werden. In bestimmten Fällen wird die Veränderung des Charakters nicht so wichtig sein, dann ist das einzige Kriterium die Lesbarkeit.

Breit und schmal

Eine andere Möglichkeit, Schriften und Buchstaben zu verändern, ist die Variation der Breite eines Buchstabens. Diese Möglichkeiten sind im Gegensatz zur Buchstabendicke viel beschränkter, da der Charakter jeder Schriftart von bestimmten Kennzeichen ab-

Auffällige Formen
Auffällige Formen sind
Auffällige Formen sind meist
Auffällige Formen sind meist nicht passend

hängt. Sollte zum Beispiel ein solches Kennzeichen die Rundheit einer Schrift sein und verändert man die Buchstaben ins Ovale, dann ist der Charakter dieser Schrift verschwunden.

Jede Schriftart kann breiter oder schmaler geschrieben werden

Schräg und gerade

Die meisten Schriftarten werden gerade geschrieben, was die Übung auf kariertem Papier vereinfacht. Trotzdem ist es möglich, alle Schriftarten ohne besondere Probleme schräg zu schreiben.

Eine jede Schriftart kann auch schräg geschrieben werden

Alle Schriftarten können und dürfen in gewissem Maße schräg geschrieben werden

Gute Formen dulden keine Übertreibung

Extreme Veränderungen wirken sich auf den Charakter der Schrift aus

Diese Schrägstellung sind wir von der Kursivschrift gewöhnt (man kann auch die Kursivschrift gerade schreiben), bei anderen Schriftarten wird dies überraschend, ja sogar ungewöhnlich wirken. Natürlich eignen sich bestimmte Schrifttypen besser als andere dafür, schräg geschrieben zu werden; im Prinzip kann jede Schrift mit einem Winkel von ca. 5° bis 10° kalligraphiert werden.

Für die Regelmäßigkeit einer Kalligraphie ist es jedoch sehr wichtig, daß in einem Text oder auch Textteil alle Buchstaben den gleichen Schrägheitsgrad haben. Buchstaben, die zu tanzen und zu springen scheinen, lassen das Schriftbild unregelmäßig und unruhig erscheinen. Bei den ersten Kalligraphien wird diese Gleichmäßigkeit der Richtung das größte Problem darstellen.

Verhältnisse

kalligraphie

kalligraphie

kalligraphie

Die gleiche Schrift mit Verkleinerung der n-Höhe und Verlängerung der Ober- und Unterlängen

kalligraphie

kalligraphie

kalligraphie

kalligraphie

Wie wir gesehen haben, steht die Federbreite in einem bestimmten Verhältnis zur n-Höhe der Buchstaben. Im Gegensatz dazu ist die Länge der Ober- und Unterlängen frei veränderbar. Diese Länge läßt sich auf zwei Arten variieren.

In erster Linie kann man, ausgehend von einer gewissen Schriftgröße, die Ober- und Unterlängen länger oder kürzer schreiben. Übertreibungen sind in beiden Fällen nicht ratsam: zu kurze Ober- und Unterlängen verschlechtern die Lesbarkeit eines Textes, zu lange erfordern einen zu großen Zeilenabstand oder lassen die Zeilen ineinander übergehen.

In zweiter Linie kann man, wiederum ausgehend von einer bestimmten Schriftgröße, die n-Höhe vergrößern oder verkleinern. In diesem Fall werden die Buchstaben sehr deformiert – eine runde Form wird im einen Fall hoch und oval, im anderen Fall breit und oval. Dieser Charakterunterschied sollte sehr durchdacht werden: Es muß eine bewußte Idee des Kalligraphen sein, den Buchstaben eine bestimmte Form zu geben.

Die Lesbarkeit eines Textes wird auch durch den Zeilenabstand bestimmt. Zur deutlichen Unterscheidung müssen zwischen allen Zeilen weiße Zwischenräume entstehen. Der Kalligraph muß den Abstand selber bestimmen und abwägen, ob er die Deutlichkeit dem graphischen Effekt seines Textes vorziehen will. Es kann vorkommen, daß eine Kalligraphie zwar ein harmonisches Ganzes ist, aber minder gut lesbar ist.

Schreibt man die Zeilen mit kleinerem Abstand zueinander, fördert dies die Einheit eines Textblockes, verschlechtert allerdings seine Lesbarkeit. Ein kleiner Zeilenabstand veranlaßt den Kalligraphen, die Ober- und Unterlängen zu verkürzen. Die Oberlängen dürfen niemals die andere Zeile berühren.

Wählt man einen größeren Zeilenabstand, so können auch die Ober- und Unterlängen länger geschrieben sein. Allerdings sollten die Zeilen nicht zu weit auseinander stehen, da ansonsten ihr Zusammenhang verlorengeht, was die Gesamtheit einer Kalligraphie bestimmt.

Da nur einige unserer 26 Minuskeln Ober- und Unterlängen haben, sie also in einem Text in der Minderheit stehen, ist es nicht sehr wahrscheinlich, daß sich Ober- und Unterlänge berühren. Sollte dies doch einmal vorkommen, ist zu empfehlen, die Einteilung der Kalligraphie – besonders den Zeilenverlauf – zu verändern. In jedem Fall sollte diese Veränderung, worin sie auch bestehen mag, dafür sorgen, daß ein undeutliches Buchstabenbild verbessert wird.

Die Möglichkeiten, eine solche „Zeilenüberschneidung" zu verändern, sind:
– eine Verschiebung des Textteiles, so daß die betreffende Oberlänge neben die betreffende Unterlänge zu stehen kommt,
– eine Überschneidung von Ober- und Unterlänge auf eine Art, die die Lesbarkeit der Buchstaben nicht beeinträchtigt
– beide etwas zu verkürzen.

Eine solche Größenveränderung hat einen wichtigen Einfluß auf die Einheit der Buchstaben und kommt der Harmonie und damit auch der Lesbarkeit eines Textes sehr zugute.

Einteilung

Eine gute Schrift, die unter Beachtung aller Regeln entstanden ist, ist Grundlage einer Kalligraphie. Ebensowichtig ist auch die Einteilung der Zeilen und Textteile, die das Gesamtbild bestimmen.

Die Harmonie des Ganzen wird durch die Art bestimmt, wie die Einzelteile eine Komposition bilden. Neben dem Text sind dies Titel und Köpfe, Initialen und Verzierungen sowie Illustrationen. Das Zusammenfügen dieser Einzelteile nennt man Layout – wie auch beim Drucken. Das Layout, das Einteilen, ist ein besonderes Fach, auch Formgebung oder Design genannt. Es ist sehr wichtig, daß jeder Kalligraph einige Grundregeln beherrscht, so daß er seine Arbeit bis ins kleinste Detail präzise ausführen kann.

Die Formgebung ist ein komplizierter Prozeß, da jeder Text auf

Buchstaben in verschiedenen Zeilen können mit ihren Ober- und Unterlängen einander berühren. Man sollte darauf achten, daß sie trotzdem gut lesbar bleiben

Lange Ober- und Unterlängen erfordern einen großen Zeilenabstand

43

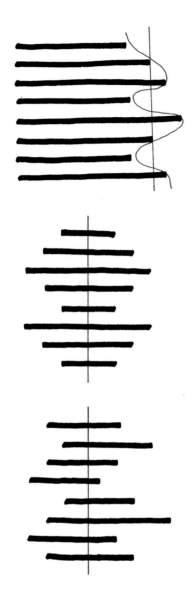

viele verschiedene Arten geschrieben und somit auf noch mehr Arten zusammengesetzt und komponiert werden kann. Wir wollen hier nur ein paar der wichtigsten Grundregeln behandeln.

Jede Komposition muß einen gleichmäßigen Eindruck machen. Eine solche Balance wird von der Fläche bestimmt, in der die Einzelteile sich befinden. Außerdem spielt die Stellung der Einzelteile untereinander eine sehr große Rolle.

Ein Text mit unterschiedlich langen Zeilen kann verschieden zusammengesetzt werden:

1. Die Zeilenanfänge stehen alle gerade untereinander, was zur Folge hat, daß die Zeilenenden „flattern". Dies ist in der Regel nicht so schlimm; wenn nämlich die ungleichen Zeilen im Durchschnitt die gleiche Länge haben, wirkt auch der rechte Rand regelmäßig.

2. Alle Zeilen werden mittig gesetzt, so daß Zeilenanfang und -ende jeweils gleich weit von der Mittellinie entfernt sind. Der rechte und der linke Rand sind nunmehr ungleich, durch die Symmetrie wird allerdings die Gleichmäßigkeit und somit die Balance erreicht.

3. Die Zeilen werden, wie es zunächst scheint, willkürlich auf dem Papier verteilt. Gleichmäßigkeit wird nun nicht durch die Mittellinie einer jeden Zeile erreicht, sondern durch die Mittellinie des Ganzen.

4. Die verschiedenen Textteile beginnen an verschiedenen Anfangslinien. Auch in diesem Fall sind die Zeilen wieder durchschnittlich gleich lang, allerdings ist der rechte Rand wiederum unregelmäßig.

Man kann selbst bestimmen, wie lang man die Zeilen schreibt, ebenso ist jeder Kalligraph frei zu entscheiden, wie er die Zeilen kombiniert. Das Format des Papieres kann hierbei eine Rolle spielen. Es ist aber besser, wenn die Kalligraphie das Format des Papiers bestimmt. Wesentlich ist eine gute Einteilung des Textes. Das heißt, daß man erst eine gute Komposition herstellt, danach die zu breiten Ränder des Papiers beschneidet.

Es gibt Texte, die sich besser für ein Querformat eignen, während andere besser im Hochformat aussehen. Bei sehr schmalen Formaten muß man vielleicht einen großen Teil des Papieres abschneiden. In jedem Fall ist es sehr wichtig, die endgültige Version der Kalligraphie auf einem zu großen Papier herzustellen. Nur dann hat man die Möglichkeit, die Ränder nach Geschmack zu beschneiden.

Beim Schneiden sollte beachtet werden, daß die Ränder für das Gesamtbild sehr wichtig sind. Sie bilden das Passepartout um das Kunstwerk. Ihre Breite kann man nicht objektiv bestimmen. Der

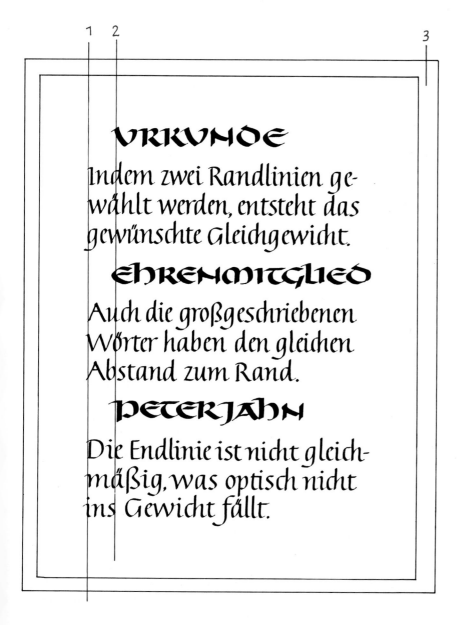

eine Kalligraph findet breite Ränder schön, ein anderer gerade schmale. Auch sind die Randbreiten von der Kalligraphie abhängig; die eine Kalligraphie wirkt mit breiten Rändern besser, die andere mit schmalen. Auf keinen Fall darf jedoch der Text den Rand des Papieres berühren, da dies die Lesbarkeit und auch das harmonische Äußere stört. Im allgemeinen sollte der untere Rand ein Drittel breiter sein als die anderen Ränder.

Die Ränder sollten gefühlsmäßig gerade sein. Das ist für den linken Rand nicht schwierig, beim rechten Rand gilt wieder die durchschnittliche Zeilenlänge. Fällt es schwer, abzuschätzen, wie breit der Rand sein sollte, ist es besser, sich für einen zu breiten Rand als einen zu schmalen Randstreifen zu entscheiden.

Wie man eine Kalligraphie auch einteilt, sie muß immer mit ein paar Skizzen begonnen werden. Es wird niemals vorkommen, daß eine Kalligraphie in ihrer ersten Form vollkommen und perfekt ist. Durch kritische Betrachtung des Resultates wie auch durch die Überlegung, auf welche Art die Kalligraphie anders und besser ausgeführt werden kann, erhält man ein gutes Ergebnis.

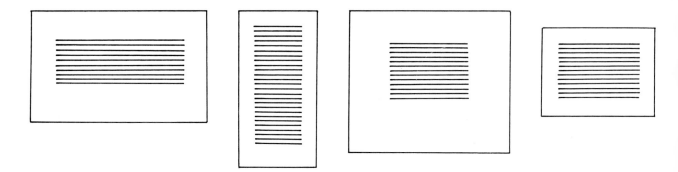

Ein Text kann mit kurzen oder langen Zeilen geschrieben werden. Dadurch verändert sich das Format der Kalligraphie. Breite oder schmale Ränder sind eine Frage des Geschmacks, der untere sollte immer ein Drittel größer als die anderen Ränder sein

Der beste Weg zu einem befriedigenden Resultat ist der folgende: Man bestimmt die Schrift, die am besten zum Text paßt. Danach bestimmt man die Größe der Buchstaben und schreibt den gesamten Text, ohne dabei auf den Zeilenfall zu achten. Wenn der gesamte Text auf dem Papier steht, schneidet man die Zeilen aus und achtet darauf, daß sie ungefähr gleich lang sind. Sollen bestimmte Teile auffallen, kann man diese in einer anderen Schriftart schreiben, sie ersetzen dann die vorher geschriebenen Textteile. Durch Verschiebung der Einzelteile – der Zeilen, vielleicht auch einzelner Wörter – kommt es zu einer Komposition, die nach unserem Gefühl im Gleichgewicht steht. Nun klebt man die Textteile auf und legt ein Netz von Hilfslinien darüber, die man genau ausmessen kann. So läßt sich jede Zeile, jedes Wort auf die endgültige Fassung übertragen. Dabei sollte dann ein Papier genommen werden, das größer ist als das des Modells. Man weiß nie, wie die endgültige Kalligraphie wirkt, und das Abschneiden zu breiter Ränder ist immer möglich.

Zweiter Teil: Kalligraphische Schriften

In diesem Teil wird eine Reihe von Variationen der bereits beschriebenen Schriften behandelt. Alle diese Formen sind im Laufe
der Jahrhunderte als Buchschriften verwendet worden. Neben Anweisungen zum Schreiben dieser Schriften wird auch auf den geschichtlichen Entstehungsprozeß dieser Typen eingegangen.

Humanistische Kursive

Beim Schreiben einer normalen Handschrift wird ein schneller,
routinierter Schreiber die Feder nicht oft vom Papier absetzten.

Zwischen Kalligraphie und
Handschrift gibt es keinen
großen Unterschied. Beide
müssen sauber und sorgfältig geschrieben sein, das ist
das einzige.
Der Rest ist nur Wichtigtuerei.

abcdefg
hijklmn
opqrsßt
uvwxyz

Die Reihenfolge der Striche ist angegeben

Die unteren Großbuchstaben werden an anderer Stelle behandelt

Auf diese Art haben wir alle in der Schule schreiben gelernt. Die Bewegung beim Schreiben der Kursivschrift gleicht der bei der Handschrift, daher wird die Kursivschrift hier als erste besprochen.

Die Buchstabenformen sind geschmeidig, und man spricht – da die Feder schnell über das Papier gleiten kann – von einer „laufenden Schrift". Das Wort dafür ist kursiv, aus dem Latein kommend. Diese Schrift ist in der Renaissance entstanden, als die Nachfrage nach geschriebenen Texten so groß wurde, daß die Schreiber gezwungen waren, immer schneller zu schreiben.

Bei den meisten Schriften werden die Buchstaben aus einzelnen Linien zusammengesetzt, hier werden sie in einer fließenden Bewegung geschrieben. In den meisten Kursivminuskeln ist dieser besondere Charakter erkennbar.

Neben dieser spezifischen Konstruktion der Buchstaben sorgte die Geschwindigkeit, mit der nunmehr geschrieben werden konnte, für eine Veränderung des Schreibwinkels: die Buchstaben begannen, nach vorn zu fallen. Das ist allerdings eine Nebensäch-

lichkeit, da man die Kursivbuchstaben auch gerade schreiben kann. Dem Anfänger ist zu empfehlen, mit geraden Buchstaben zu beginnen, die Schrägschrift wird dann wie von selbst kommen.

Kursivbuchstaben sind nicht breit und rund, sondern schmal und oval. Daher werden sie nicht so breit spationiert, man schreibt sie enger zusammen.

Die wichtigste Form des Kursivbuchstabens ist die des Bogens, der geschlossen sein kann, und sein Spiegelbild, die Mulde, die auch geschlossen sein kann. Diese Formen bilden einige Buchstabenfamilien im Alphabet, die miteinander eng verwandt sind. Es ist sehr wichtig, daß diese wiederkehrenden Formen in allen Buchstaben gleich sind.

Die eine Buchstabenfamilie besteht aus Buchstaben, die mit einem Abstrich beginnen, der über einen Bogen in einen Aufstrich übergeht. Die andere Gruppe beginnt mit einem Abstrich, der in einer scharfen Kehre in einen Aufstrich übergeht. Zur ersten Gruppe gehören alle Buchstaben, die mit dem a verwandt sind. Wichtig ist bei diesen Buchstaben der flache obere Bogen, der in

OPQRSTUVWXYZ

Es ist Schade, daß die meisten Menschen, die viel wissen, wenig reden; die, die viel reden, jedoch nichts wissen.

einer ununterbrochenen Bewegung zunächst von rechts nach links geschrieben werden muß. Eine fließend schreibende Feder kann (auf glattem Papier) diese Bewegung mühelos ausführen; ist jedoch die Feder nicht gut, weil zum Beispiel die Tinte schlecht fließt oder die Feder ins Papier sticht, sollte man diese Bewegung erst von links nach rechts und danach sofort wieder über die gleiche Linie zurückschreiben, um so den Buchstaben zu vollenden.

Die andere Gruppe von Buchstaben ist verwandt mit dem n, entstehend aus einem Abstrich, dann auf derselben Linie nach oben zurück und in einen Bogen übergehend. Die Buchstaben b und p sind die Gegenstücke des a. Ein Kennzeichen der Kursivschrift sind die tiefen Öffnungen im Unterteil des a und im Oberteil des n. Man darf also nicht zu weit auf der gleichen Linie zurückgehen, da ansonsten die Bögen zu klein werden und die Buchstaben einen anderen Charakter bekommen.

Zur dritten und letzten Gruppe kursiver Minuskeln gehören die Buchstaben, die nicht in einem Zug geschrieben werden, bei denen die Feder also vom Papier abgesetzt werden muß. Die Buchstaben z, w und v werden in der Regel aus einzelnen Strichen zusammengesetzt, allerdings ist es auch möglich, sie in einer Bewegung zu schreiben. Hier ist es dem Kalligraphen und seiner Fähigkeit überlassen, für welche Schreibart er sich entscheidet. Die Buchstaben o, c und e werden immer in zwei voneinander abgesetzten Linien geschrieben. In einigen Fällen wird es sinnvoll sein, diese drei Buchstaben alle gleich oval zu schreiben, in anderen Fällen kann es besser sein, ihre Rundung an der des a zu orientieren. Zu den kursiven Minuskeln verwendet man die Rö-

Mit einem natürlichen Talent und einer übernatürlichen Beharrlichkeit kann man alles erreichen

mischen Kapitalbuchstaben. Sie werden, wie die Minuskeln, schräg geschrieben. Um ihre Form den Kursivminuskeln anzugleichen, sollten sie etwas schmaler und in ihren Rundungen ovaler sein. Übt man die Kursivschrift in gerader Form, so müssen auch die Kapitalbuchstaben gerade sein.

In einem durchlaufenden Text ist es wichtig, daß die Großbuchstaben unauffällig plaziert werden. Sie müssen mit derselben Feder, mit der auch die Kleinbuchstaben geschrieben werden, ausgeführt sein. Ihre Höhe liegt immer unter der der Oberlängen der Minuskeln. Auch ist darauf zu achten, daß Formen und Verzierungen nicht übertrieben werden. Das Auge des Betrachters sollte sich auf den Text, nicht aber auf die Verzierungen konzentrieren.

ABCDEFG
HIJKLMN
OPQRSTU
VWXYZ

Die gewöhnlichen Kapitalbuchstaben sind in Kombination mit Kursivminuskeln schmaler und schräg geschrieben

Die einzige Verzierung des hier abgebildeten Alphabetes besteht aus kurzen und einfachen An- und Abstrichen. Aus anderen Beispielen wird man erkennen können, daß wesentlich mehr Verzierungen möglich sind, die innerhalb eines Textes aber nicht verwendet werden.

51

Dieses Alphabet ist wieder eine neue Möglichkeit. Die humanistische Kursivschrift kennt viele verschiedene Varianten, so daß viele Kombinationsmöglichkeiten von Majuskel- und Minuskelalphabeten entstehen. Die Kombination ist vom persönlichen Geschmack des Kalligraphen abhängig. Dieses Alphabet ist ziemlich einfach zu schreiben, die Minuskeln stehen zu den Majuskeln in guter Harmonie.

abcdefghijklmn

Die Federstellung ist bei den Großbuchstaben die gleiche wie bei den Kleinbuchstaben, allerdings wird auch hier eine Ausnahme bei den Beinen des N gemacht, bei denen der Winkel ungefähr 60° sein sollte, da ansonsten die Linien zu dick werden. Der Federhalter zeigt dann von der Schulter weg.

Die geschmeidige Kursivschrift hatte einen großen Einfluß auf die Schreibgeschwindigkeit der Schreiber der Renaissance. Auf der einen Seite war es diese Geschwindigkeit und die benötigte

opqrsßtuvwxyz

53

Gewandtheit, auf der anderen Seite hatte der Zeitgeist der Renaissance einen großen Einfluß auf das Aussehen der Kursivbuchstaben und ihrer scheinbar mühelos zu schreibenden Schnörkel. Ligaturen, Verbindungen und Schnörkel entstanden in einer fließenden Bewegung der Feder.

Die Kalligraphen unserer Zeit staunen immer wieder, wenn sie die Kalligraphien des 16. und 17. Jahrhunderts mit ihren ingeniösen Verzierungen betrachten. Man muß allerdings wissen, daß diese Kunstwerke das Resultat von handwerklich hochbegabten Schreibmeistern waren, von Menschen, die das Schreiben zu ihrem Beruf gemacht hatten und ihr ganzes Leben nur schrieben.

Außer diesen Schnörkeln, die man als Verzierung – zwischen oder auch am Ende von Textteilen – benutzt, lassen sich auch die Zeilenenden durch Ausschwünge verändern. Diese dienen nicht nur der Verzierung, sondern können auch weiße Flächen füllen.

Die Buchstaben mit Oberlängen der ersten Zeile können mit gutem Gewissen in die Randfläche treten, man kann sie noch mit einem kleinen Schnörkel verzieren. Auch die Unterlängen der letzten Zeile können noch mit Schnörkeln verziert werden, so daß sie den Rand auflockern. Innerhalb eines geschlossenen Textes ist meistens kein Platz für solche Verzierungen, da der Zeilenabstand nicht unnötig vergrößert werden sollte.

Auch die Großbuchstaben lassen sich mit An- und Abstrichen und Schnörkeln verzieren, so daß sie ins Auge fallen. In alten Schriftbüchern findet man dafür viele Beispiele. Allerdings eignet sich nur der erste Buchstabe eines Textes für solche Verzierungen, im laufenden Text ist dafür kein Platz.

Wer ein gutes Schriftbild zu schätzen weiß und eine gute Handschrift haben möchte, wird wahrscheinlich die Kursivschrift zu seiner täglichen Handschrift machen. Man sollte dann mit einer

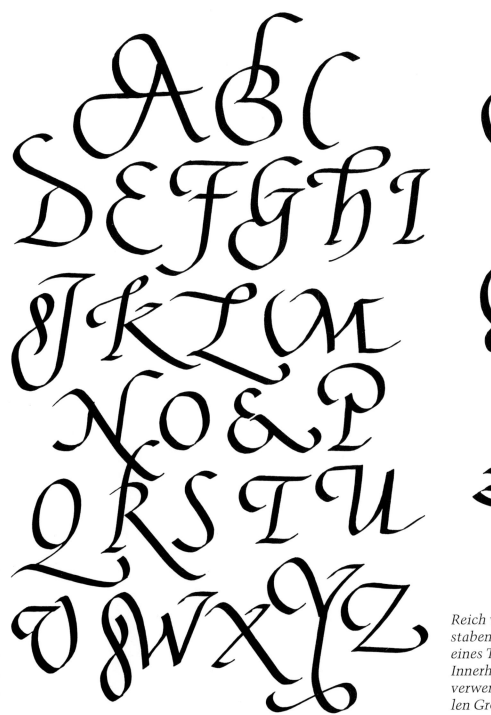

*Reich verzierte Großbuch-
staben kann man am Anfang
eines Textes verwenden.
Innerhalb eines Textes
verwendet man die norma-
len Großbuchstaben*

sehr schmalen Breitfeder schreiben. Diese wird durch die gleichen
Hersteller, die auch die Kalligraphiefedern liefern, produziert.
    Zunächst übt man die Buchstaben im Kleinformat, auf einem

55

Schreibt man Kursivschrift auf diese Art, wird sie zur Handschrift

Kursivschrift kann als Basis einer guten Handschrift verwendet werden

linierten Blatt mit einem Unterlegblatt mit vertikalen Linien im gewünschten Winkel. Dieser Winkel wird für jeden Kalligraphen ein anderer sein, der eine bevorzugt eine steile Schrift, ein anderer eine flache. Den richtigen Schreibwinkel muß man selbst finden. Mit dem automatischen Schreiben der Buchstaben entsteht langsam eine eigene persönliche Buchstabenform. Die Buchstaben werden miteinander verbunden, mancher will vielleicht breit und rund schreiben, ein anderer schmal und oval.

Übungen zur humanistischen Kursivschrift finden sich auf Seite 18 und 21 des Übungsbuches.

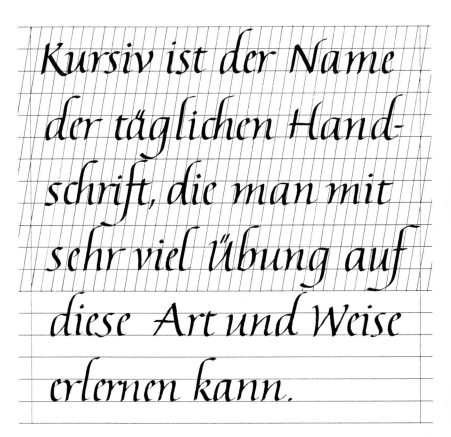

Kursiv ist der Name der täglichen Handschrift, die man mit sehr viel Übung auf diese Art und Weise erlernen kann.

Unzialschrift

Die Reihenfolge der kalligraphischen Alphabete in diesem Buch entspricht nicht der geschichtlichen Entwicklung der Schrift, sie sind nach dem Schwierigkeitsgrad geordnet. Daher wird an dieser

Stelle die Unzialschrift behandelt. Das Unzialalphabet unterscheidet sich grundlegend vom Kursivalphabet: Es besteht nur aus Großbuchstaben. Auch die Schreibweise ist völlig anders, da alle Buchstaben aus einzelnen Linien zusammengesetzt werden. Durch ihre Rundheit und die Übereinstimmung mit der Schreibweise der meisten kalligraphischen Alphabete eignet sich die Unzialschrift sehr gut als Übung für den angehenden Kalligraphen.

Die Unzialschrift war die erste Mönchsschrift. Sie datiert aus der Zeit des aufkommenden Christentums nach dem Jahr 400. Die frühen römischen Schriften, wie die Kapitalis Quadrata und die Kapitalis Rustica hatten einen großen Einfluß auf das Aussehen der Unzialen.

Die Christianisierung in Westeuropa begann im 4. Jahrhundert. Von Rom aus zogen Missionare zu den Britischen Inseln und später auch in unsere Breiten, den Rhein entlang. In erster Linie ka-

Unzialschrift besteht nur aus Großbuchstaben

men sie in die Gebiete, die noch unter der Herrschaft des Römischen Reiches standen, um hier das Evangelium zu predigen. Für ihre missionarische Arbeit hatten sie liturgische Bücher aus Rom mitgenommen; Mess-, Psalm- und Evangelienbücher, die zum größten Teil in der Unzialschrift geschrieben waren.

Die Buchstaben des Unzialalphabets haben geschmeidige und doch kräftige Formen. Viele der geraden römischen Großbuchstaben sind rund geworden, was man als erstes Anzeichen einer Ent-

*Die Reihenfolge der Linien-
führung ist angegeben*

wicklung vom Groß- zum Kleinbuchstaben sehen kann. Diese
Veränderung wird auch deutlich erkennbar, wenn wir die Ausschwünge betrachten, die in den meisten Buchstaben zu finden
sind und die im Laufe der Zeit immer größer wurden. Einige Buchstaben übertreten die Hilfslinien an der Oberseite, andere an der
Unterseite, was auch auf eine Entwicklung zu Ober- und Unterlängen hin schließen läßt.

Man schreibt die Unzialschrift mit einer ziemlich flachen Federstellung, der Winkel zur Zeile beträgt 10° bis 30°. Der Federhalter
zeigt dann mehr oder weniger zur Schulter in. Da dies eine unangenehme Schreibhaltung ist, sollte eine Feder benutzt werden, die
nach rechts abgeschrägt ist.
    Man sollte die Feder mit gleichmäßigen Strichen von oben nach
unten über das Papier bewegen. Durch sich ständig wiederholende
runde Formen kann die Unzialschrift nach einiger Übung ziemlich schnell geschrieben werden.

58

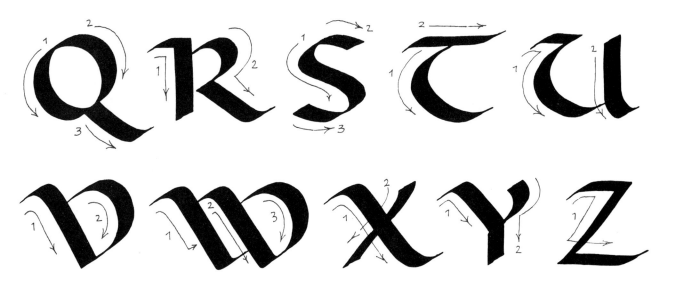

Die Unzialen eignen sich sehr gut für die verschiedensten Anwendungsgebiete, man kann sie auch gut mit anderen Schriftarten in einer Kalligraphie verbinden.

Sehr viele Unzialbuchstaben bestehen aus einer der zwei Hälften des O. Diese O-Form spielt eine große Rolle: Die stets wiederkehrenden Formen müssen alle völlig identisch sein.

Eine andere Form, die sich ebenfalls immer wiederholt, ist die diagonale Linie, die sich zum Beispiel im W findet. Alle Buchstaben, in welchen diese Linie zu finden ist, müssen die gleiche Richtung haben.

WER LOB EMPFÄNGT, TUT
IMMER WOHL, ES MEHR
ALS EINE FREIWILLIGE GABE
ANZUSEHEN DENN ALS
EINEN VERDIENTEN LOHN
WILH. VON HUMBOLDT, 1824

59

DAS EIGENTÜMLICHE AN DER KALLIGRAPHIE IST, DASS ES SCHEINT, ALS OB SIE EINFACH HERZUSTELLEN SEI

Aus den Pfeilen und Zahlen soll die Reihenfolge und Richtung der Linien erkennbar sein.

Die Buchstabenhöhe (ohne Ober- und Unterlängen) beträgt das Sechsfache der Federbreite. Das bedeutet, daß die Unzialschrift eine ziemlich fette Schrift ist.

Ober- und Unterlängen sind nur sehr kurz. Sie betragen höchstens ein Drittel der Buchstabenhöhe. Längere Ober- und Unterlängen würden dem Charakter einer Kapitalschrift widersprechen.

Ohne daß die Lesbarkeit Schaden leidet, kann man die Zeilen mit sehr geringem Abstand untereinander schreiben. Auch die Buchstaben lassen sich sehr nahe aneinanderrücken, so daß der Gesamteindruck dieser Schrift ein sehr kompakter ist.

Ziffern in einem Unzialtext sollten in der gleichen Höhe wie die Buchstaben geschrieben werden. Dadurch erreicht man die größtmögliche Einheit.

Die Seiten 22 und 23 des Übungsbuches enthalten Übungen zur Unzialschrift.

Antiqua oder humanistische Minuskel

Sie ist eine echte kalligraphische Schrift, die aus Groß- und Kleinbuchstaben besteht.

Mit dem Ende des Mittelalters war auch das Ende der Kalligraphien als Buchschriften gekommen: Die Buchdruckkunst wurde erfunden. Die Druckbuchstaben wurden den geschriebenen angeglichen, andere Vorbilder kannten die Drucker ja nicht. Johannes Gutenberg setzte seine berühmte Bibel 1452 in der Textur.

Die Druckkunst verbreitete sich sehr schnell in ganz Europa. In Italien orientierte man sich mit den Druckbuchstaben an den humanistischen Schriften. Dort blühte inzwischen die Renaissance. Sie – die Wiedergeburt der klassischen Ideale – wurde für das Italien des 14. und 15. Jahrhunderts die wichtigste Kulturströmung. Der Humanismus war die wichtigste geistige Bewegung, die durch das erneute Studium klassischer Wissenschaften, Schriften und Künste bekannt wurde. Der Humanismus hatte einen sehr großen Einfluß auf die Entwicklung unserer Schrift.

abcdefg
hijklmn
opqrsßt
uvwxyz

Humanistische Minuskeln – das Vorbild unserer heutigen Antiqua-Druckbuchstaben

Die Humanisten suchten vor allem nach Schriften und Manuskripten der klassischen Schreiber und fanden diese in Bibliotheken als Kopien aus der karolingischen Zeit. Man kann sicher nicht annehmen, daß die Gelehrten dachten, es handle sich tatsächlich um antike Bücher. Sie waren sicherlich nicht so naiv. Auf jeden

61

Fall fanden die karolingischen Schriften bei den Humanisten große Bewunderung in ihrer Einfachheit und Deutlichkeit, und man begann, auf dieselbe Art zu schreiben. Einige Buchstaben des Minuskelalphabetes wurden verändert, und die römischen Kapitalbuchstaben wurden als Großbuchstaben gebraucht. Dieses neue doppelte Alphabet erhielt den Namen Littera Antica, klassische Buchstaben.

Bis zur Renaissance war die Schrift geistiges Eigentum der Kirche, nun wurde sie Eigentum der Wissenschaft. Da die Nachfrage

ABCDEFGHIJKLMN

nach Büchern ständig stieg, wurde in den Universitäten auch immer mehr geschrieben. Die aufkommende Bürokratie ließ die Zahl der Kanzleischreiber emporschnellen, der Handel benötigte eine ausführliche Buchhaltung. So entstand im 15. Jahrhundert eine Schrift, die allgemein gebräuchlich wurde. Diese Schrift – die humanistischen Minuskeln mit den dazugehörigen Großbuchstaben – wurde von den Buchdruckern als Vorbild für ihre Buchstaben benutzt, welche man Antiqua nennt. Die Druckbuchstaben unserer heutigen Bücher sind zum größten Teil mit denen der italienischen Renaissance identisch.

Die hier beschriebene Form der humanistischen Minuskel ist nur eine der vielen Varianten, die es davon gibt. Sie ist ziemlich fett, eine Form, die in England sehr populär ist. Dort begann im 20. Jahrhundert eine neue Blüte der Kalligraphie, und Edward Johnston (einer der berühmtesten englischen Kalligraphen dieser Zeit) propagierte die humanistischen Schriften erneut. Andere Formen der humanistischen Minuskelschriften findet man in

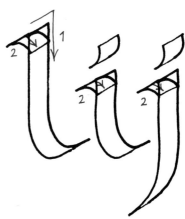

Die Serifen werden an den Buchstaben angehängt, wenn seine Grundform geschrieben ist

OPQRSTUVWXYZ

Talent wird durch Fleiß entwickelt, hat man kein Talent, wird dies durch Fleiß ersetzt.

meinem Buch „Schrift, die schönsten kalligraphischen Alphabete", Augustus-Verlag, Augsburg.

Für die Kleinbuchstaben sollte man auch hier die Form des o als Maßstab nehmen. Mit den beiden Halbkreisen des o lassen sich viele Buchstaben konstruieren, in denen diese Formen wiederkehren.

Neben diesen Bogen haben die geraden Anfangs- und Endlinien eine große Bedeutung. Sie bilden die An- und Abstriche vieler Buchstaben, bei anderen sind kleinere An- und Abstriche in Form einer geraden Linie an den Buchstaben gehängt. Dadurch kann es vorkommen, daß sich die Buchstaben eines Wortes berühren, was im Grunde nicht so schlimm ist, wenn noch genügend weißer Zwischenraum übrigbleibt. Die Regeln einer harmonischen Spationierung sollte man auch hier nicht außer acht lassen.

Die Federbreite verhält sich zur n-Höhe wie 1:4, man kann diese Schrift aber auch dünner schreiben, etwa im Verhältnis 1:5.

Die Kunst des Schreibens zu erlernen ist schwieriger als sprechen zu lernen

Die Federstellung beträgt ungefähr 30°, so daß die senkrechten Linien viel dicker und schwerer als die waagerechten werden. Dies läßt sich beim t sehr gut erkennen. Wir müssen darauf achten, daß die humanistische Minuskel nicht mehr mit einer Federstellung von 45° geschrieben werden kann. Dies gilt nur für den Anfänger, er sollte aber sehr bald die richtige Federstellung üben.

Wie bereits gesagt, benutzen die Humanisten für die Großbuchstaben römische und karolingische Vorbilder, die kopiert wurden. Um den Letternschneidern die Arbeit zu erleichtern, wurden die Buchstaben sehr oft mathematisch-geometrisch konstruiert. Diese Arbeitsweise war zum Teil der Schönheit der Buchstabenformen sehr abträglich. So muß man beim Kalligraphieren darauf

ABCDEFG
HIJKLMN
OPQRST
UVWXYZ

achten, daß die Buchstaben nicht in Quadrate gepreßt werden. Das Verhältnis zwischen der Breite und der Höhe eines Buchstabens kann nicht mathematisch ausgedrückt, es sollte gefühlsmäßig gefunden werden. Die angegebenen Verhältnisse sind Orientierungswerte, die relativ frei interpretierbar sind.

Köpfe und Titel wurden in der Renaissance meist in Großbuchstaben gesetzt, die auch für den Anfang eines neuen Satzes oder für Namen Verwendung fanden. Dies ist bis heute so geblieben.

Die Großbuchstaben, die mit den hier abgebildeten Minuskeln kombiniert werden, sind die klassischen römischen Kapitalbuchstaben, deren Grundform bereits mit Filzstift geübt wurde. Allerdings haben sie hier und da eine etwas flottere und geschmeidigere Form erhalten.

In vielen kalligraphierten Texten werden auch Ziffern benutzt. Schreibt man den Titel in Großbuchstaben, dann ist es ratsam,

abcdefghijklmn

Ziffern zu verwenden, die die Größe der Kapitalbuchstaben haben. In Kombination mit Kleinbuchstaben eignen sich die ausgeschwungenen Ziffern am besten. Der Rumpf der Ziffern sollte dann die n-Höhe haben. Auf diese Weise erreicht man die größte Harmonie in einem Text.

Für die Übungen der Antiqua kann man die Seiten 24 und 25 des Übungsbuches verwenden.

opqrsßtuvwxyz

Rotunda oder Rundgotisch

Durch die gotischen Eigenschaften ist diese Schrift eine völlig andere als die Antiqua. Andererseits findet man in der Rundheit der Buchstaben und ihrer Schreibweise auch deutliche Übereinstimmungen. Das Schreiben der Rotunda sollte eigentlich unproblematisch sein.

abcdefg
hijklmno
pqrsßt
uvwxyz

Rotundaminuskeln sind eine Mischung von runden und schmaleren Formen

Die Gotik war eine Kulturströmung, deren Blüte im ausgehenden Mittelalter im nördlichen Westeuropa zu finden war: im deutschen Sprachraum, in den Niederlanden, Nordfrankreich und England. Dort wurden die eckigen gotischen Schriften geschrieben, in Italien fand man die runden Buchstaben, wie man sie aus der Antiqua kennt, schöner. Trotzdem hatte die nördliche Mode einen gewissen Einfluß auf die südliche Schriftkultur: Einige gotische Kennzeichen wurden durch die Schreiber der Rotunda übernommen.

Die Rotunda wird auch „Rundgotisch" genannt, da hier weite und runde Formen mit geraden und schmalen Buchstaben verbun-

Das sichtbare ist zeitlich, ewig ist das unsichtbare

den werden. Die Brüche in der Linienführung haben nicht die Schroffheit ihrer nördlichen Verwandten. Die Linien sind eher gebogen als geknickt.

Die Rotunda war eine sehr modische Schrift. Vor allem in geistlichen Kreisen war sie sehr populär. Die päpstliche Kanzlei benutzte die Rotunda lange Zeit als offizielle Schrift.

Wegen ihrer Deutlichkeit wurde die Rotunda auch für das Schreiben von großen Chorbüchern verwendet, die aus größerem Abstand lesbar sein mußten. Aus solchen Büchern herausgetrennte Seiten kann man heutzutage in Antiquariaten kaufen. Sie kommen aus italienischen, südfranzösischen und spanischen Klöstern.

Beim Schreiben der Rotundaminuskeln muß man vor allem auf die gleichmäßig runde Form achten. In vielen Buchstaben ist nur ein Halbkreis des o enthalten. Alle müssen die gleiche Rundung haben.

Die geraden Minuskeln haben nicht die scharfen Knicke der Textur (die weiter unten besprochen wird), sie werden mehr in scharfen Bogen geschrieben.

Die beste Weise, zur Erkenntnis zu kommen, ist die Tat. Was man am besten lernt und nie mehr vergißt, ist, was man sich selber lehrt!

Die Federstellung sollte sehr flach sein, der Winkel beträgt nur 10° bis 20°, wobei der Federhalter eher in Schulterrichtung zeigt. Auch hier ist es ratsam, eine nach rechts abgeschrägte Feder zu verwenden, dann muß man den Federhalter nicht verkrampft festhalten.

Das Verhältnis zwischen der Federbreite und der n-Höhe der Buchstaben beträgt 1:4. Das bedeutet, daß die Buchstaben, obwohl sie weit und rund sind, doch ziemlich dick sein sollten.

Wie bei jeder gotischen Schrift sind auch hier die Ober- und Unterlängen klein, wodurch der Zeilenabstand geringer wird. Innerhalb eines Textes sollten die Großbuchstaben niemals höher als die Oberlängen der Kleinbuchstaben sein, da dadurch der enge Zeilenabstand unschön wirken würde.

Die Großbuchstaben der Rotunda sind ursprünglich Unzialformen, die mit doppelten Linien und Häkchen, die die weißen Flächen füllen sollen, verziert sind. Diese Großbuchstaben haben noch die größte Übereinstimmung mit den gotischen Schriften des Nordens.

Man sollte niemals diese verzierten Großbuchstaben zum Schreiben eines ganzen Textes verwenden, nicht einmal für einen ganzen Textkopf oder Titel. Durch die Vielzahl der Verzierungen würde die Lesbarkeit großen Schaden leiden.

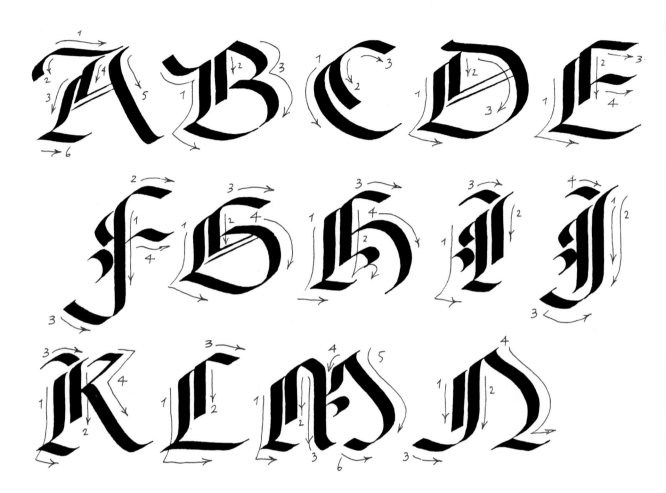

Die Reihenfolge der Linien ist angegeben. Die Verzierungen werden erst nach Fertigstellung der Buchstaben geschrieben, ihre Reihenfolge ist nicht angegeben

Normalerweise schreibt man Majuskeln kleiner als die Buchstaben mit Oberlängen, zum Beispiel das k. Da die Ober- und Unterlängen ziemlich kurz sind, ist die Anwendung dieser Regel im Falle der Rotunda – wie auch bei der Textur – nicht immer möglich. Trotzdem dürfen die Großbuchstaben nicht höher als die Oberlängen werden, da dies einen zu großen Zeilenabstand voraussetzen würde.

Die Verzierungen der Großbuchstaben bestehen zum einen aus doppelten Linien. Sie verlangen vom Kalligraphen eine sichere Hand, da sie nicht nur parallel sein müssen, auch ihr Abstand muß immer der gleiche sein. In jedem Fall ist es ratsam, erst den

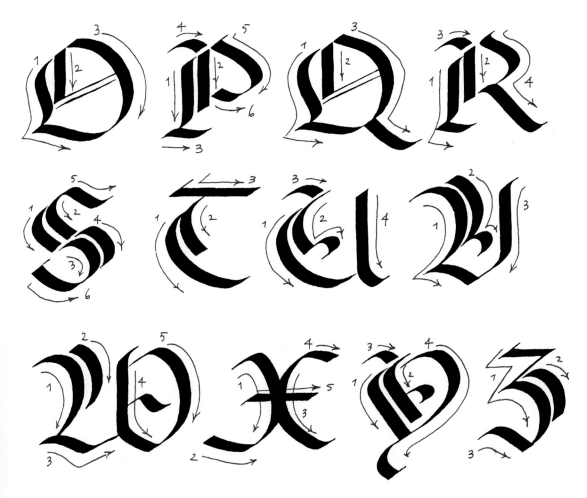

linken Strich zu ziehen, danach den rechten. Auf diese Weise hat man den besten Blick auf die Öffnung der Linien und kann genau den Punkt bestimmen, an welchen die Feder auf das Papier gesetzt werden muß.

Zum anderen bestehen diese Verzierungen aus Kommaformen, die an der Vorderseite eines Buchstabens wie auch zum Ausfüllen weißer Flächen plaziert werden.

Auf Seite 26 und 27 des Übungsbuches findet man die Übungen für die Rotunda.

pqrsſßtuvwxyz

Textur

Diese gotische Schrift ist die beliebteste bei den Kalligraphen. Obwohl die Konstruktion sehr einfach zu sein scheint, wird man schnell erkennen müssen, daß es sich um die schwierigste Schrift handelt, die in diesem Buch verwendet wird.

Andere gotische Schriften findet man in meinen Büchern „Kalligraphie" und „Schrift" (beide Augustus-Verlag). Sie werden dort viel ausgiebiger behandelt.

In den Klöstern im Mittelalter stand die Schrift einzig und allein im Dienste des Glaubens. Das gottesdienstliche Leben war auf das Streben nach dem Höheren gerichtet, was man auch im schlanken und hohen Baustil der Kathedralen dieser Zeit erkennen kann.

Es gibt drei Möglichkeiten, etwas zu erlernen: eine gute, ein Übungsbuch zu benutzen; eine bessere ist, einem Lehrer zuzuhören; die beste ist, selbst zu unterrichten.

Auch die Schrift unterwarf sich dieser Tendenz, sie wurde immer schmaler.

Die Bücher wurden noch mit der Hand geschrieben, die Buchdruckkunst entstand erst einige Jahrhunderte später. Man schrieb meist auf Pergament, welches aus präparierten Tierhäuten hergestellt wurde. Dieses Material war so teuer, daß man versuchen mußte, so viel Text wie nur möglich auf ein Blatt zu schreiben. Die Buchstaben wurden schmaler, und die Zeilen rückten enger

abcdefgh
ijklmno
pqrsßt
uvwxyz

zusammen. Dadurch entstand die dekorative Form dieser Schrift: Alle Bogen brachen zu geraden Linien. Somit war die Entstehung des gotischen Schriftcharakters nicht nur eine religiöse Erscheinung – auch solche praktischen Erwägungen spielten eine große Rolle.

Unsere mittelalterlichen Vorväter hatten regelmäßig Kontakte zum Islam. Diese entstanden in den Zeiten der Kreuzzüge, die die christliche Welt organisierte, um das Heilige Land von den

ungläubigen Moslems zu befreien. Auch die arabische Kultur hatte einen großen Einfluß auf die gotischen Formen in der Bau- und Buchkunst.

Die Textur (lat. Gewebe) ist der Name der Mönchsschrift aus der Blütezeit der Gotik, nach dem Jahre 1300. Sie wurde meistens für das Schreiben von Bibeln und liturgischen Schriften gebraucht, für Schriften, die in lateinischer Sprache, der Kirchensprache, geschrieben wurden.

Natürlich gab es auch außerhalb der Klöster Menschen, die von der Schrift Gebrauch machten: in den Kanzleien und Magistraten. Sie verwendeten auch eine gotische Schrift, allerdings eine schnellere Variante, die sogenannte gotische Kursivschrift, die viel mehr einer Handschrift ähnelt. Solche Schriften werden Bastardschriften genannt.

Eigentlich war die gotische Schrift die erste Schrift in der Geschichte, in der Groß- und Kleinbuchstaben miteinander verbun-

𝔄𝔅ℭ𝔇𝔈𝔉𝔊ℌℑ𝔍𝔎𝔏𝔐𝔑

den wurden. Seit der Zeit der gotischen Schriften ist dies normal geworden.

Die kleinen Buchstaben bestehen beinahe ausschließlich aus geraden Linien, die aneinandergesetzt werden und scharfe Knicke und Ecken bilden. Diese Konstruktion scheint sehr einfach zu sein. Vielleicht ist es gerade diese Einfachheit, die die Schrift so schwierig werden läßt.

Alle Buchstaben müssen gerade stehen, als wären sie mit einem Lineal gezogen. Für die Regelmäßigkeit der Schrift ist es auch wichtig, die weißen Zwischenräume – in und zwischen den Buchstaben – gut zu verteilen. Dies ist besonders schwierig, da jede kleinste Unregelmäßigkeit sofort ins Auge springt.

Die gleichmäßige Schwarz-Weiß-Verteilung erhält man durch Ligaturen, die auch für die Verbindung von Buchstaben sorgen.

Textur schreibt man mit einer Federstellung von 30° bis 40°. Die Federbreite verhält sich zur n-Höhe wie 1:5. Dieses Verhältnis ist das am meisten gebräuchliche, allerdings eignet sich die Textur

OPQRSTUVWXYZ

Mancher meint ein Schriftkenner zu sein, und ist doch nicht mehr als ein Schreiberling

ausgezeichnet für extreme Verlängerungen. Dann bleibt die Buchstabenbreite die gleiche, die Buchstabenhöhe kann sich verdoppeln. Dadurch erhält man ein sehr dekoratives Schriftbild, was allerdings auf Kosten der Lesbarkeit geht.

Wir können jede beliebige n-Höhe wählen, wichtig ist jedoch, daß die Ober- und Unterlängen immer kurz bleiben. Mit diesen Ober-

Man kann auch die alte Form des k verwenden. Ligaturen sind in den gotischen Schriften für die Regelmäßigkeit des Schriftbildes nötig

78

A B C D E F G
H I J K L M N
O P Q R S T
U V W X Y Z

und Unterlängen kann man die Zeilen sehr dicht untereinander schreiben, was auch ein wichtiges Kennzeichen der gotischen Schrift ist.

Bis ins 20. Jahrhundert sind die gotischen Schriften, vor allem die Fraktur und die Schwabacher, als Druckschriften gebräuchlich gewesen.

Es gibt viele verschiedene Formen der Texturgroßbuchstaben, obwohl es nur ein Kleinbuchstabenalphabet gibt. Dies kommt daher, daß die Großbuchstaben viel mehr Möglichkeiten zu Verzierungen bieten, was die Schreiber der Gotik gern ausnutzten.

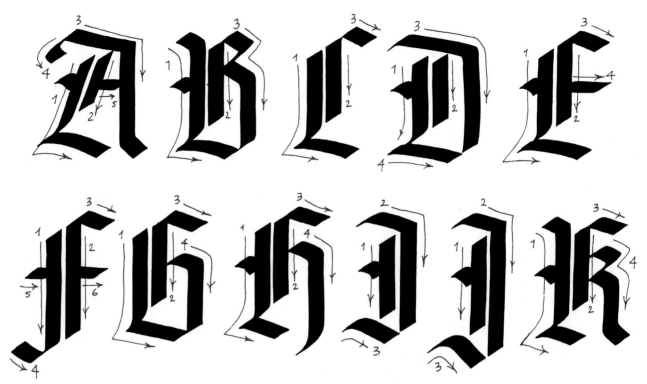

Das kleine Blöckchen zur Verzierung wird erst nach der Fertigstellung der Grundform der Buchstaben geschrieben. Die Reihenfolge ist dafür besonders angegeben

Die Großbuchstaben auf dieser Seite können sehr gut mit Texturminuskeln kombiniert werden. Es sind relativ moderne Formen, was hier bedeutet, daß sie nicht aus dem gotischen Mittelalter stammen. Die alten gotischen Großbuchstaben sind oft mit übertrieben vielen Linien, Schrägstrichen und Blöckchen verziert. Für den Anfänger wird es das beste sein, sich auf ziemlich einfache Formen zu konzentrieren, sie sind ebenso dekorativ. In diesem Beispiel bestehen die Verzierungen aus der doppelten Linie und einem Blöckchen, das in der linken Linie postiert ist. Die doppelten Linien sind fast immer auf der linken Seite, ihr Abstand ist ziemlich gering. Dieser Abstand sollte bei allen Buchstaben der gleiche sein. Hat man den gesamten Buchstaben in seiner Grundform geschrieben, wird das Blöckchen angebracht.

Beim Schreiben der Textur wird man erkennen, daß die Regel, die Großbuchstaben kleiner als die Oberlängen der Kleinbuchstaben zu schreiben, nicht immer angewendet werden kann. Es ist

abcdefghijklmno

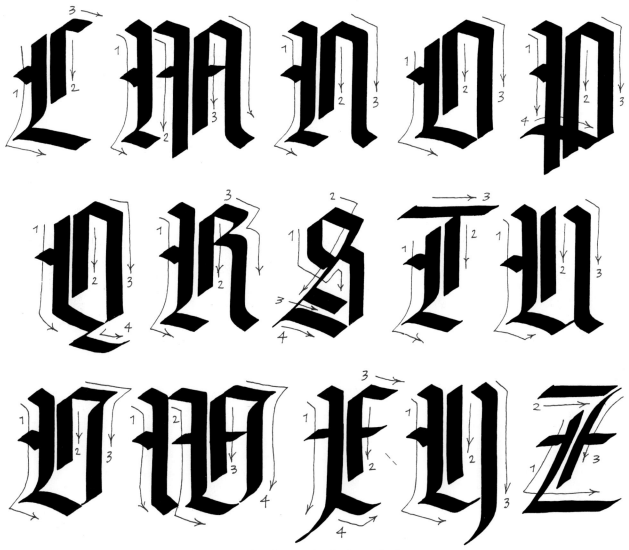

nicht weiter schlimm, wenn sie die gleiche Höhe haben, höher
sollten sie jedoch auf keine Fall sein. Dann würde der Zeilenabstand zu groß werden.

Im Übungsbuch findet man auf Seite 28 und 29 Übungen zur
Textur.

pqrsſßtuvwxyz

Die deutsche Handschrift

Alle gotischen Schriften kann man als typisch deutsche umschreiben: in keinem anderen Sprachgebiet wurden Textur, Schwabacher und Fraktur als Druckschrift allgemein gebraucht. Diese Schriftarten fanden nicht nur in der Buchdruckkunst Verwendung, auch nach der Erfindung dieser Kunst wurden sie noch mit der Hand geschrieben. Die Schwabacher wurde anfänglich mit der Breitfeder kalligraphiert und ist in vielen Varianten zu finden. Die genannten Schriftarten sind Vorbilder sogenannter Bastardschriften: Sie vereinigen die Kennzeichen verschiedener gotischer Schriften. Ihr wichtigstes Kennzeichen war die Geschwindigkeit, mit der sie geschrieben werden konnten. Die Feder wurde so wenig wie möglich vom Papier abgesetzt. Die Buchstaben flossen in

einer Bewegung aus der Feder. Hierdurch entstanden geschmeidige Formen und einfache Buchstabenverbindungen. Auf diese Art schreibt man noch heute unsere verbundene Handschrift. Allerdings war dies früher eine echte gotische Schrift.

Im 17. Jahrhundert tauschte man die Breitfeder gegen eine Spitzfeder. Dies geschah unter dem Einfluß des Barock und des

Rokoko: Man begann, die Buchstaben mit ausgiebigen Schnörkeln zu verzieren. Solche Verzierungen kann man in der Druckkunst, in der Architektur und in der Innenarchitektur finden.

Auch die Spitzfeder kann dick und dünn schreiben, allerdings entsteht der Unterschied in der Linienstärke nicht durch die Form der Feder, sondern durch ihren Gebrauch. Bei den meisten Schreibbewegungen ist die Federspitze geschlossen. Bei den senkrechten Linien drückt man auf die Feder, wodurch der Schlitz in der Spitze der Feder etwas auseinandergedrückt wird und eine stärkere Linie entsteht. Auf diese Weise werden alle senkrechten Abstriche dick, alle anderen Linien bleiben dünn. In den Bogen sollte man den Druck auf die Feder langsam zu- und abnehmen lassen, wodurch eine leichte Schwellung der Strichstärke zustandekommt.

Die Änderung der Schreibmaterialien hatte auch Einfluß auf die Schreibart. Es entstand die Spitzfederkurrent. Ursprünglich ist diese Schrift eine normale gotische Schrift gewesen, die durch andere Schreibwerkzeuge völlig verändert wurde. Bis weit ins 20. Jahrhundert lernten die Kinder in der Schule diese Schriftform. Die Stahlfeder, die sich für diese Schrift am besten eignete, war die Schellfischfeder: eine spitze, in der Mitte tief geschlitzte Feder. Sie wird seit vielen Jahren nicht mehr hergestellt, mit einigem Glück kann man sie in älteren Schreibwarengeschäften noch erhalten.

Mit der Erfindung des Füllfederhalters und der Veränderung des Schulwesens veränderte sich auch die Schreibschrift. Man wollte den Kindern die langen Schnörkel der Handschrift ersparen und fand auch, daß eine Schreibschrift nicht mehr schräg sein muß. Am Anfang des 20. Jahrhunderts wurde die deutsche Handschrift gerade, mit sehr kurzen Schlaufen geschrieben: die sogenannte Sütterlinschrift. Der Kalligraph Rudolf Koch veränderte diese wieder in eine schräge Schreibschrift: die Offenbacher Schrift aus dem Jahre 1928. Hier wurden die Buchstaben schräg geschrieben,

Die deutsche Handschrift wurde ursprünglich mit einer Spitzfeder geschrieben

83

es blieben allerdings die kurzen Schlaufen. Beide Schriften waren für die spitze Eintauchfeder entwickelt, mit der noch sehr lange in der Schule geschrieben wurde. Allerdings sind sie auch mit einem Füllfederhalter gut zu schreiben.

Mit der Einführung der lateinischen Buchstaben als Druckbuchstaben wurde die Druckschrift in der Schule modern. Seit dieser Zeit ist die deutsche Handschrift etwas in Vergessenheit geraten. Will man sie als Handschrift verwenden, so muß man wissen, daß es eine sehr persönliche Art der Schrift ist und daß es sehr lange dauert, bis man zu guten Resultaten kommt. Auch hierfür ist ein normaler Füllfederhalter zu verwenden.

Als kalligraphische Schrift läßt sich die Handschrift auf die vielfältigste Weise benutzen. Man kann mit der Spitzfeder schreiben, sollte allerdings wissen, daß das Schreiben mit der Spitzfeder sehr viel Können voraussetzt und am Beginn sehr langsam und vorsichtig geschehen sollte. Es bedarf monatelanger Übung, bis man das Breiter- und Schmalerwerden der Linien so beherrscht, daß ein gleichmäßiges Schriftbild entsteht. Man kann die deutsche Handschrift aber auch mit der Breitfeder kalligraphieren, dann allerdings mit der gleichen Akkuratesse, mit der bei jeder Kalligraphie gearbeitet wird.

Die besonderen Formen und Konstruktionen werden sicher für den Anfänger etwas problematisch sein. Darum sollten alle Buchstaben sehr sorgfältig, einer nach dem anderen, geschrieben werden. Durch die Ligaturen und Verbindungen möge man sich nicht verleiten lassen, zu schnell zu schreiben, dies könnte der Deutlichkeit schaden.

Man kann die deutsche Handschrift auch mit einem Filzstift schreiben

Die deutsche Handschrift läßt sich schräg oder auch gerade schreiben. Für die gerade Schrift kann man kariertes Papier verwenden.

Im Übungsbuch finden sich die Seiten 30 und 31 für die Übung dieser Handschrift.